Thomas Jaspersen
Christian Warsch (Hrsg.)

EDI in der Praxis –
Potentiale der elektronischen
Datenkommunikation

Thomas Jaspersen
Christian Warsch (Hrsg.)

EDI in der Praxis

Potentiale der elektronischen
Datenkommunikation

DATACOM-Fachbuchreihe

Die Deutsche Bibliothek – CIP-Einheitsaufnahme

EDI in der Praxis: Potentiale der elektronischen
Datenkommunikation / Thomas Jaspersen;Christian Warsch
(Hrsg.) – Bergheim: DATACOM-Verl., 1994
(DATACOM-Fachbuchreihe)
ISBN 3-89238-097-X
NE: Jaspersen, Thomas (Hrsg.)

DATACOM-VERLAG
Klaus Lipinski
Postfach 15 02
D-50105 Bergheim

Telefon (0 22 71) 608-0
Telefax (0 22 71) 608-290

Die Autoren

Herausgeber: Thomas Jaspersen

Prof. Dr. Dr. Thomas Jaspersen, geboren 1947, studierte in Zürich, Hamburg und Kassel Ingenieurwesen, Pädagogik, Soziologie und Betriebswirtschaftslehre. Nach Forschungsaufenthalten in England und den USA (MIT) leitete er als geschäftsführender Gesellschafter die Plasa-Gesellschaft für Planung und Systemanalyse mbH in Hamburg. Seit 1980 lehrt er das Fachgebiet Produktplanung und allgemeine Betriebswirtschaftslehre an der Fachhochschule Hannover. Als Professor des Fachbereichs Wirtschaft hat er sich im Gebiet der absatzorientierten Wirtschaftsinformatik profiliert. Seine Praxisorientierung ist durch seine Tätigkeit als Unternehmensberater in den Bereichen der Investition, der Produktentwicklung und im Controlling bestimmt. Als Unternehmer ist er in mehreren Aufsichtsräten tätig.

Herausgeber: Christian Warsch

Dr.-Ing. Christian Warsch, Jahrgang 1954, studierte Maschinenbau an der Technischen Hochschule Aachen und Schiffbau an der Technischen Universität Hannover. Er arbeitete als wissenschaftlicher Mitarbeiter an der informationstechnischen Systemintegration in Sonderforschungsbereichen und im Institut für Fertigungstechnik und Werkzeugmaschinen, wo er über die Planung rechnergestützter Kommunikation im Unternehmensverbund promovierte. An der Fachhochschule Hannover arbeitete er als Dozent im Bereich CAD und baute Informatik-Studiengänge im Design-Bereich mit auf. Anfang 1991 nahm er eine Tätigkeit als Abteilungsleiter für technische Anwendungsentwicklung und Netzwerke in der Bremer Vulkan Verbund AG auf, wo er besonders die EDI-Thematik als Projektleiter eines F & E-Projektes weitertrieb. Heute ist er im strategischen Informationstechnologie-Management der Bremer Vulkan Verbund AG tätig.

Hans-Jörg Bullinger

Prof. Dr.-Ing. habil. Dr. h.c. Prof. e.h. Hans-Jörg Bullinger, geboren am 13.04.1944 in Stuttgart, ist Leiter des Instituts für Arbeitswissenschaft und Technologiemanagement (IAT) der Universität Stuttgart und des Fraunhofer-Instituts für Arbeitswirtschaft und Organisation (IAO), Stuttgart. Die Schwerpunkte der Institutsarbeit liegen im Bereich Informations-Management (Unternehmensführung, Informationssysteme, Arbeitsgestaltung) und Produktions-Management (Produktionsplanung, F & E-Management, Personal-Management)

Bernd Killer

Dipl.-Math. Bernd Killer ist Mitglied der Geschäftsleitung der PS Systemtechnik Bremen. Durch seine Arbeit im RLN Verden besitzt Herr Killer umfangreiche Erfahrung aus der Erstellung kundenbezogener Anwendungen, IT-Controlling und DV-Organisation. Er war bei der Software AG in Darmstadt Bereichsleiter Software Engineering und bei der Software AG Anwendungen & Co. zuständig für Konzeption und Durchführung von Projekten zur Einführung von Standard-Anwendungssoftware. Heute ist er verantwortlich für die strategische Unternehmensentwicklung bei PS Systemtechnik in Bremen.

Hartmut Binner

Prof. Dr.-Ing. Hartmut Binner, geboren 1944, ist seit 1978 hauptamtlich Professor an der Fachhochschule Hannover. Seine Vorlesungsschwerpunkte sind u. a. CIM und Logistik, Planung von Anlagen und Werkstätten, Betriebswirtschaftslehre und Qualitätssicherung. Herr Professor Binner hat außerdem einen Lehrauftrag an der Universität Clausthal-Zellerfeld für das Fach »Industriebetriebslehre«. Er ist seit

1979 REFA-Lehrer und Dozent am REFA-Institut in Darmstadt. Seit 1980 ist er Leiter des VDI- und REFA-Arbeitskreises »Industrial Engineering Hannover«.

Christian-Hinrich Dorner

Dipl.-Ing. Christian-Hinrich Dorner, Jahrgang 1962, ist stellvertretender Geschäftsführer der DEDGI Deutsche EDI-Gesellschaft e.V., Berlin. Herr Dorner hat auf Tagungen im In- und Ausland in zahlreichen Referaten das Thema EDI behandelt und arbeitet in verschiedenen Arbeitskreisen und Gremien:

- CCG (SEDAS/EANCOM – Abrechnung und Regulierung),
- Siemens AG (Konzernübergreifender Fachkreis EDI),
- TEDIS-Projekt (Migration SEDAS zu EANCOM),
- ZVEI e.V. (Dacharbeitskreis Elektr. Geschäftsverkehr),
- Redaktion x-change, Magazin für elektronischen Geschäftsverkehr.

Jürgen Brammertz

Dipl.-Kfm. Jürgen Brammertz studierte an der Technischen Hochschule Aachen Wirtschaftswissenschaften, führte an der Universität Köln das Studium der Betriebswirtschaftslehre mit Schwerpunkt Informatik fort und schloß mit dem Titel eines Diplom-Kaufmanns ab. Im Jahre 1984 wechselte er zu Langnese-Iglo in Hamburg und begann seine berufliche Laufbahn als Mitarbeiter des Bereiches Information Technology. Als Projektleiter führte er in den folgenden Jahren Projekte in den Bereichen Entwicklung, Planung und Einkauf durch. Als Ende 1991 das Thema EDI/EDIFACT bei Langnese-Iglo erneut aufgenommen wurde, übernahm Jürgen Brammertz diese Aufgabe ebenfalls. Im EDI-Bereich ist er verantwortlich für die Konzeption und den Aufbau der EDI- (EDIFACT-) Anwendungen.

Michael Lukas

Michael Lukas ist seit 1994 als Product Manager bei LION EDInet GmbH. Geschäftsstelle Frankfurt/Main tätig. Nach seinem Studium als Nachrichtentechniker arbeitete er in den Jahren 1986 bis 1992 bei der DBP Telekom im Bereich Consulting. Er war dort 5 Jahre Projektleiter für die OSI-Bereiche X.400, X.500 und FTAM bei Roland (Eurolab Wiesbaden). Weiterhin besitzt er internationale Erfahrung als Chairman für X.400-88-Referenzsysteme im OSTC (Open Systems Testing Consortium Brüssel). Zwischen 1992 und 1993 war Herr Lukas als Produkt-Manager bei I.N.A.S. GmbH, Frankfurt, tätig.

Werner F. C. Bruns

Werner F. C. Bruns ist seit 30 Jahren Mitarbeiter der IBM Deutschland. Nach zehn Jahren Beratertätigkeit im Bereich Fertigungssteuerung übernahm er mehrjährige internationale Aufgaben in Japan und Belgien, u. a. auf den Gebieten Ausbildung, Projekt-Management sowie Value Added Networks und Services. Seit 8 Jahren Fachmann für EDI, arbeitet er als IBM-Kundenberater mit den Schwerpunkten EDI Management und EDI Clearing Center national sowie international als Dozent. Er ist Mitglied im Lenkungsausschuß des NDWK (Normenausschuß Daten- und Warenverkehr in der Konsumgüterwirtschaft) sowie in den DIN-Normungsausschüssen Nbü 3.41 (Bank-Nachrichten) und Nbü 3.05 (Sicherheitsaspekte).

Bernd E. Meyer

Prof. Dr. Bernd E. Meyer ist Professor für Informatik im Produktionsbetrieb an der Fachhochschule Heilbronn (seit1980). Er ist seit 1991 CIM-Koordinator und Vorsitzender des CIM-Arbeitskreises der Fachhochschule. Von 1989 bis 1992 war Prof. Dr. Meyer Mitglied im Arbeitskreis Logistik des VDA (Verband der Deutschen Automobilindustrie). Seit 1980 ist Prof. Dr. Meyer Chefberater der Actis-Gruppe. Schwerpunkte seiner Beratungstätigkeit sind Logistik, EDI, Lean Production, Lean Management und DV-Konzeptionen/-Strategien im Bereich der Automobilzulieferindustrie.

Thomas Hübner

Dr. Thomas Hübner ist seit über 20 Jahren in der Automobilindustrie tätig. Er wirkte für Volkswagen in Verantwortungsfeldern wie Systemintegration, Ablauforganisation, betriebliche Untersuchungen und Geschäftsprozeßplanung in Managementfunktion. In den Jahren 1990 und 1991 arbeitete er für Volkswagen in der Automotive Industry Action Group (AIAG), die als Vereinigung der nordamerikanischen Automobilhersteller und ihrer wichtigsten Zulieferer die Geschäftsprozesse mit Lieferanten und Einsatz von Technologien wie EDI,

Automatic Identification und CAD/CAM-Datenaustausch optimiert und standardisiert. Herr Dr. Hübner koordiniert heute die EDI-Programme von Volkswagen und ist Vertreter von Volkswagen in dem AKVD des Verbandes der Automobilindustrie.

Henrik Heidemann

Henrik Heidemann, geboren 1960 in Berlin, ist seit 1989 als Vertriebsbeauftragter bei ACTIS GmbH in Berlin mit den unterschiedlichsten Projekten im Bereich EDI und Logistik in allen Wirtschaftsbereichen betraut.

Alfons Oer

Dipl.-Ing. Alfons Oer trat nach Abschluß des Maschinenbau-Studiums an der technischen Universität Hannover in die Volkswagen AG in Wolfsburg ein. Er gestaltete Konzepte zur Montage-Informa-tionssteuerung und führte Projekte der Fertigungssteuerung durch. Er war verantwortlich für die systemtechnische Realisierung und die betriebsorganisatorische Analyse und Umsetzung. Seit Mitte 1990 ist Herr Oer in der Abteilung Geschäftsprozesse mit der zentralen EDI-Strategieentwicklung im Volkswagen Konzern und mit der Koordinierung und Umsetzung von EDI-Vorhaben in der Marke Volkswagen beauftragt.

Vorwort

Die Kriterien für eine Standortauswahl eines Unternehmens orientieren sich bisher nach den Gegebenheiten der vorhandenen Infrastruktur. Je nach Betriebsart wurden die Ansiedlungspunkte im Hinblick auf ihre Zulieferungsbedingungen, dem vorhandenen Arbeitsmarkt, die regionalspezifischen Abgaben, die Energieressourcen, die Verkehrsanbindung, Umweltaspekte oder das umliegende Absatzpotential untersucht.

Heute ergibt sich ein zusätzliches Kriterium: die kommunikative Infrastruktur. Zur Erbringung und Veräußerung betrieblicher Leistung gewinnt neben den materiellen und sozialen Komponenten die Generierung, Verarbeitung und Verbreitung von Information einen immer höheren Stellenwert. Eine Produktions-, eine Dienst- und Handels- oder Verwaltungsleistung wird nicht nur physisch erbracht, sondern es entsteht in der Planung, bei der Durchsetzung und in der Kontrolle ein paralleler informativer Anteil, der für die überbetriebliche Abstimmung im Rahmen sich verdichtender Leistungsverbände stets relevanter wird. Der betriebliche Datenaustausch als EDI (Electronic Data Interchange) erfordert nicht nur eine gut organisierte Datenverarbeitung innerhalb der Unternehmung, sondern eine komplexe Infrastruktur mit ausgebauten Mehrwertdiensten in der Region und eine sorgfältige Abstimmung im gegenseitigen Kommunikationsverhalten.

Neue Ansätze zur Ermittlung von Wettbewerbsvorteilen werden heute insbesondere von Michael E. Porter vorgestellt. Die Wertekette dient ihm als analytisches Instrument zur Untersuchung aller Aktivitäten eines Unternehmens und deren Wechselwirkung aus überbetrieblicher Sichtweise. Verbindet man nun die vorgelagerten Werteketten der Zulieferer mit dem Unternehmen und ebenso die nachgelagerten Werteketten von Vertriebsbereichen und Abnehmern, so bildet sich ein hochkomplexes Wertesystem, welches zum Ziel hat, das Endprodukt marktwirtschaftlich optimal anzubieten. Bei den Verbindungen im Wertesystem repräsentieren einige den Materialfluß, andere den Austausch von Informationen.

Kennzeichnend ist hierbei die Sicht auf den Gesamtgestehungsprozeß des Endproduktes. Die wirtschaftliche Steuerung und Koordination von diesen Leistungsprozessen in der Wertschöpfungskette und im gesamten Wertesystem kann allein auf Basis von zeitgerechter, inhaltlich präziser und richtigen Informationen erfolgen.

Aus diesem aktuellen Anlaß hat der Kommunalverband Großraum Hannover (KGH) auf der CeBIT-Messe 1994 seinen Messestand unter das Leitthema »Electronic Data Interchange« (EDI) in der wirtschaftlichen Praxis gestellt, um Verfahrensinvestitionen aus der Produktion, der Dienstleistung und dem öffentlichen Bereich anschaulich darzustellen. Im Rahmen dieser Darbietung wurden sechs komplexe überbetriebliche Szenarien präsentiert, die interaktiv mit dem regionalen Umsystem kommunizierten und täglich zu Schwerpunktthemen EDI-Symposien abhielten. Durch das Messeexponat und die Fachreferate zum Thema: »Rationalisierungspotentiale durch elektronische Datenkommunikation« wurden alle Bereiche von Handel, produzierende Industrie und Dienstleistung mittelbar angesprochen. Alle Bereiche sind heute aufgefordert, ihre Leistung schneller, qualitativ hochwertig und ohne Verschwendung von Ressourcen zu erbringen. Ein noch weitgehend brachliegendes Potential hierfür wird in der optimierten Kommunikation zwischen DV-Anwendungssystemen gesehen. Hier zeigte sich Hannover als besonders moderner Standort: Auf der einen Seite ist Hannover Standort von renommierten Unternehmen, die in der Anwendung von EDI an der Spitze stehen. Auf der anderen Seite hat Hannover selbst durch das Angebot einer optimalen Kommunikationsstruktur die Vorraussetzung für die Vergabe von Aufträgen an hannoversche Unternehmen geschaffen.

Dieser Sammelband umfaßt die Referate, welche vor Fachpublikum in den Veranstaltungen vom 17.03.1994 bis zum 22.03.1994 auf der CeBIT gehalten wurden. Das Buch richtet sich an Leser aus der Hochschule und der Wirtschaft, welche sich entweder mit der Entwicklung und Implementierung von überbetrieblichen Kommunikationssystemen beschäftigen oder aber anhand von hier dargestellten Fallstudien ihre Lehre bzw. den Lernstoff veranschaulichen wollen.

Diese Arbeit ist als Teamleistung entstanden. Wir bedanken uns bei den Autoren für ihre Beiträge und ausdrücklich auch bei den ausstellenden Firmen für ihre umfangreiche Unterstützung der themenzentrierten Einzelsymposien. Insbesondere geht unser Dank an den Kommunalverband Großraum Hannover (KGH) für die Koordinierung der langen Diskussionen und der umfangreichen Vorarbeiten zur Erstellung der Exponate. Erst diese Arbeit hat dazu geführt, daß anschauliche Beispiele aus der Praxis hier dargestellt und zusammengefaßt werden konnten.

Hannover im April 1994

Thomas Jaspersen, Christian Warsch

Inhaltsverzeichnis

Einleitung

Thomas Jaspersen, Christian Warsch

Die gesellschaftliche Entwicklung der Generierung und Veräußerung betrieblicher Leistung befindet sich in einem Wandlungsprozeß, der durch eine zweifache Integration gekennzeichnet ist.

– Zum einen werden sowohl die dispositiven als auch die ausführenden Tätigkeiten in allen Organisationen zunehmend mit der Unterstützung der Datenverarbeitung durchgeführt sowie aufeinander abgestimmt und somit integriert.

– Zum anderen wird die gesellschaftliche Leistung einzelner Organe im Rahmen von Wertekettenstrukturen als Unternehmensverbunde organisiert, die eine integrative überbetriebliche Koordination erfordert.

Massenproduktion bedeutet die Herstellung gängiger Waren mit hoch spezialisierten und somit inflexiblen Produktionsmitteln. Die Wandlung der Absatzmärkte zu Käufermärkten und das Einsetzen eines harten Verdrängungswettbewerbs zwingt nun die Unternehmen zu größerer Flexibilität und infolgedessen teilweise zur Abkehr von der Massenproduktion. In den letzten Jahren hat es sich gerade bezüglich technisch anspruchsvoller Massenproduktion gezeigt, daß vielfach nur noch in der Einführungs- und der ersten Wachstumsphase größere Absatzchancen bestehen. Die produzierenden Unternehmen stehen vor dem Problem, daß sich am Markt wieder ein Bedürfnis nach Differenziertheit der Produkte, nach mehr Originalität und mehr gestalterischer Vielfalt artikuliert hat. Damit ist der Zwang verbunden, komplexere Produkte in größeren Varianten immer schneller auf den Markt zu bringen. Dieses Innovationstempo in vielen Wirtschaftsbereichen kann bedeuten, daß noch ehe die Gewinnschwelle erreicht ist, Produkte und damit auch Produktionsanlagen veraltet sind [17]. Die Forderung nach der »Maßanfertigung in der Massenfertigung« eröffnet nur denjenigen Unternehmen neue und gewinnversprechende Chancen am Markt, denen es gelingt, Problemlösungen und Dienstleistungen für ausgewählte kleine Marktsegmente schneller und kostengünstiger als die Konkurrenz anzubieten [4]. Dieses Ziel zu erreichen,

bedeutet alle für die Produktgestehung erforderlichen Zeiten zu verkürzen. Hier werden große Potentiale vor allem in der Verkürzung von
Entwicklungs- und Auftragsdurchlaufzeiten gesehen, welche durch
die Verfügbarkeit von Systemen zu Verarbeitung betrieblicher Informationen erschlossen werden sollen [9] [20].

Im Rahmen der computergestützten Systeme zur Produktentwicklung
und -produktion haben sich eine Vielzahl von Verfahren etabliert.
Eigner und Maier [5] grenzen zunächst die sogenannten CAX-Verfah-
ren der Produktion ab. Das Computer Aided Engineering (CAE)
umfaßt hiernach die Verfahren des Computer Aided Design (CAD) mit
den Elementen der Zeichnungserstellung und Konstruktion samt technischer Berechnungen des Computer Aided Planning (CAP), also der
Erstellung von Stücklisten und der entsprechenden Arbeitsvorberei-
tung, des Computer Aided Manufacturing (CAM), wo die Steuerung
von Fertigung und Montage bearbeitet wird, und schließlich des
Computer Aided Quality Assurance (CAQ) mit dem Zweck der Steuerung von automatisierter Prüfungsroutinen. Herr Steinbuch [19] ord-
net dem computergestützten Ingenieurwesen (CAE) die Verfahren des
CAD zu sowie das Computer Integrated Manufacturing (CIM), welches wiederum die Verfahren
CAP, CAM, und CAQ um-
schließt, als auch die Produktionsplanung und -steuerung
(PPS) (Bild 1).

**Bild 1
computerinte-
grierte Fertigung**

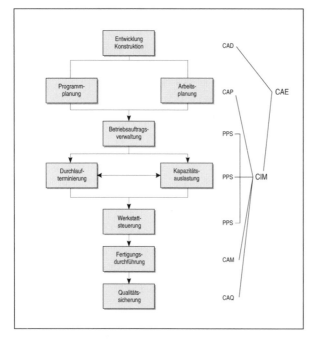

Steinbuch gliedert die Verfahren nach ihrem Einsatz im Produktionsprozeß, wobei die Produktionsplanung und -steuerung
eine zentrale Position einnimmt.

Die Entwicklung und Konstruktion wird mit CAD-Verfahren
abgedeckt, Programmplanung
und Arbeitsplanung erfolgt mit
CAP-Systemen. In der PPS wird
zunächst die Betriebsauftrags-
verwaltung geregelt, dann die

Durchlaufterminierung und die Kapazitätenauslastung geplant und somit die Werkstattarbeit gesteuert. Teile der Fertigung und Montage sowie der Qualitätsicherungen sind automatisiert und können daher mit DV-Techniken geplant, veranlaßt und kontrolliert werden.

Die Umsetzung von Konzepten des »Computer Integrated Manufacturing« (CIM) zur Integration der Verfahrensketten eines Produktgestehungsprozesses – Produktentwicklung, Auftragsabwicklung und Produktfertigung – auf der Basis der sie bestimmenden und steuernden Informationen haben dazu geführt, den Informationsfluß innerhalb des Unternehmen zu beschleunigen. Die Einführung »rechnerintegrierter Produktion« zielt in erster Linie auf die Verkürzung der Durchlaufzeiten im Bereich der Fertigung. Darüber hinaus werden durch die geforderten stets kürzer werdenden technischen Reaktionszeiten auf Änderungen im Produktionsprogramm Entwicklungen in Gang gesetzt, die zu einer Kopplung von ausführenden, planenden und überwachenden Bereichen auf Basis informationsverarbeitender Systeme führt. Die Verfügbarkeit von Systemen zur Informationsverarbeitung, wie sie durch die rasante Entwicklung der Mikroelektronik erst möglich wurde, läßt die Reintegration von betrieblichen Abläufen zu ganzheitlichen Arbeitsweisen erst möglich werden.

Aber auch im Marketing, also im Tätigkeitsfeld der Leistungsveräußerung, haben sich computergestützte Verfahren etabliert, die eine integrative Kraft haben und gemeinsam mit den DV-Methoden der Leistungsgenerierung zu einem Management-Informationssystem verschmelzen.

Gliedert man die Programme, die im Marketing eingesetzt werden und auf dem Markt als Standardsoftware erhältlich sind, so lassen sich drei Kategorien unterteilen [11] (Bild 2):

1. Die allgemeinen Hintergrundprogramme umfassen neben den Datenbanken die Benutzeroberflächen als Bedienungsoberflächen, die Betriebssysteme für die Hardwaresteuerung und die Netzwerksysteme für die Organisation der inner- und überbetrieblichen Kommunikation.

2. Bei den spezifischen Anwendungen kann zwischen der Bereitstellung von externen Daten unterschieden werden sowie den Stan-

dardprogrammen, die entweder operative Systeme regeln und steuern oder für strategische Einzelmaßnahmen genutzt werden. Die Belange des Marketing werden entweder in integrative Systeme wie die Produktionsplanung und -steuerung (PPS) mit berücksichtigt, oder aber es bilden sich eigenständige Warenwirtschafts- und Kundenbetreuungssysteme heraus. Die Bandbreite der marketingspezifischen Einzelsysteme ist groß. Neben der Produktentwicklung und Projektplanung wird die betriebliche Sekundärinformation computergestützt betrieben. Die Marktentwicklung, die mikrogeografische Segmentierung und die Tourenplanung beruhen ebenso auf yDV-Methoden wie die heutige Preisgestaltung, die Marktforschung und Medienplanung, die Werbeentwicklung und der Multimediaeinsatz sowie die Verfahren des Direktmarketing.

3. Die dritte Kategorie bilden die allgemeinen Aufbereitungsprogramme der Tabellenkalkulation, der Textverarbeitung, der Grafikverarbeitung und der Kommunikation.

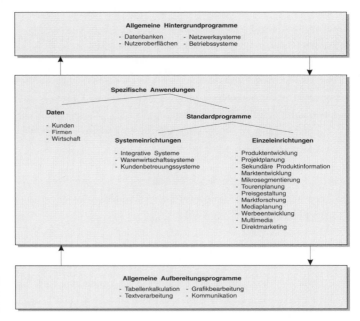

Bild 2
Programmsegmentie-
rung im Marketing

Die innerbetriebliche Leistungsgenerierung und -veräußerung konsolidiert sich in unternehmensübergreifende sekundäre Aktivitäten wie die Personal-, Technologieentwicklungs- oder Beschaffungssysteme und strukturiert sich als Wertekette von den Primäraktivitäten der Eingangslogistik, der Fertigungsoperationen und der Ausgangslogistik bis hin zum Marketing und Vertrieb sowie dem Kundendienst [16] (Bild 3). Jeder einzelne Tätigkeitsbereich erfordert eine spezifische Informationssystembildung. Eine Integration ist zunächst nicht selbstverständlich, sondern sie vollzieht sich als Wachstumsprozeß. In der ersten Phase substituieren computergestützte Verfahren die vorhandenen Arbeitsroutinen als Insellösungen. Erst wenn eine hinreichende Handlungssicherheit mit der heterogenen Hard- und Software besteht, werden Systemkopplungen vorgenommen, wobei die allgemeine Tendenz der Integration der spezifischen Informationssysteme einer Wertekette unverkennbar sind.

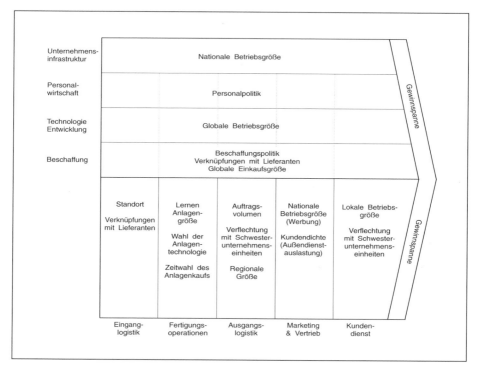

Eine andere Sichtweise auf den Produktgestehungsprozeß stellt die ganzheitliche Betrachtung der Wertschöpfungskette vom Rohstoff bis zum Endverbraucher dar. Dabei trägt jedes Unternehmen im Verbund mit Lieferanten und Kunden seinen Teil zur Wertschöpfung des Endproduktes bei. Die neben der Entwicklung von betrieblich genutzten Informationssystemen einhergehende Entwicklung von inner- und

Bild 3
Kostenantriebskräfte bei einem Hersteller (nach Porter)

zwischenbetrieblichen Kommunikationssystemen ermöglicht es, nunmehr auch in der Interaktion zwischen verschiedenen Unternehmen ganzheitliche Ansätze zu verfolgen [13]. Der zwischenbetriebliche Datenaustausch ist in einigen Branchen heute mit »Electronic Data Interchange« (EDI) bezeichnet. Analog zu CIM-Konzepten kann aus EDI die integrierte Informationsverarbeitung für betriebswirtschaftliche und technische Aufgaben verbundener Unternehmen entwickelt werden. Auf EDI basieren bisher zwei Ansätze, die besonders in der Automobilindustrie vorangetrieben werden.

– Logistikverbund: »Just-in-Time« (JIT),
– Entwicklungsverbund: »Simultaneous Engineering«.

Ziel von Just-in-Time ist die sequenzgenaue, zeitlich exakte Anlieferung von Teilen, die zum Abbau von Lägern und damit zur Reduktion der Kapitalbindung führt. Ziel des »Simultaneous Engineering« ist eine bereichs- und unternehmensübergreifende, parallelisierte Entwicklung und Konstruktion, die den Gesamtkonstruktionsaufwand reduziert und damit die Produktentwicklung erheblich beschleunigt [18]. Die Umsetzung dieser Integration wird mittelfristig zu einer Produktion im Verbund führen [2]. Es ist zu erwarten, daß durch den Einsatz der Informations- und Kommunikationstechnik neben Veränderungen in der Arbeitsorganisation im Unternehmen sich auch die Arbeitsteilung zwischen Unternehmen verändern wird. Hierbei kommt den technischen Kommunikationsmitteln zwangsläufig eine zunehmend gewichtigere Rolle zu (Bild 4) [2] [14] [16].

Bild 4
Vor- und nachgelagerte Werteketten

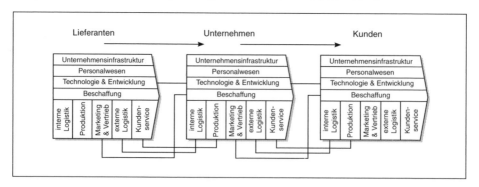

Einführung zwischenbetrieblicher Datenkommunikation bereitet klein- und mittelständischen Unternehmern in der Praxis erhebliche Schwierigkeiten. Hierfür sind das hohe Innovationstempo in der Informations- und Kommunikationstechnik sowie das Fehlen methodischer Grundlagen zur schnellen, wirtschaftlichen Einführung ursächlich zu nennen.

Ausgehend von einer übergreifenden Sicht auf den Gesamtgestehungsprozeß eines Produktes bis hin zum Endverbraucher wird zuerst die Zulieferung unter Kommunikationsaspekten strukturiert. Daran zeigt sich, daß nur ein branchenübergreifendes Vorgehen sinnvoll ist, da gerade Kooperation im Zulieferverbund die Branchengrenzen überschreitet. Eine Expertenbefragung bei Unternehmen der Werkzeug- und Formenbaubranche ergab, daß die Marktposition eines Unternehmens heute bestimmend für die Rahmenbedingungen bei der Einführung und Erweiterung zwischenbetrieblicher Datenkommunikation ist [21]. Dies führt dazu, im EDI-Modell technischen semantischen und organisatorischen Integrationsbereiche und -aufgaben von verschiedenen Startpunkten zu beginnen. Das EDI-Gesamtkonzept bettet die Rechner/Rechnerkopplung in ein kooperatives Umfeld unter Berücksichtigung betrieblicher Gegebenheiten ein. Das sich dabei ergebende hochkomplexe Umfeld erfordert für eine schnelle effektive Einführung ein Werkzeug, welches in der Lage ist, betriebliche Funktionen und Datenflüsse auf einer hohen Abstraktionsebene abzubilden. Dabei muß gleichzeitig die Möglichkeit gegeben sein, die Daten bis auf ein einzelnes Zeichen aufzuschlüsseln.

Die informationstechnische Infrastruktur im Betrieb weist eine Arbeitsplatzebene, eine Netzebene und eine Hintergrundebene auf. Grundsätzlich kann zwischen der betriebsinternen und der externen Rechnerkommunikation unterschieden werden. Die externe Infrastruktur ist bestimmt durch die öffentlichen Netze und durch öffentliche und private Hintergrundsysteme wie Informationsdatenbanken oder Kunden- und Lieferantendateien, die über Verbände, das statistische Bundesamt und ähnliche Organisationen auf dem aktuellen Stand gehalten werden. Innerbetrieblich kann zwischen der zentralen, arbeitsplatznahen und arbeitsplatzspezifischen Infrastruktur getrennt werden. Mit einem zentralen Kommunikationsnetz können die zentralen Hintergrundsysteme von Universal- und Spezialrechnern wie Datenbanken, Archive und Electronic Mail aufrecht erhalten werden. Das zentrale Netz bindet die unterschiedlichen betrieblichen arbeitsplatznahen Netze in eine Gesamtstruktur ein. Die arbeitsplatznahen Kommunikationsnetze verbinden Universal- und/oder Zentralrechner miteinander und eignen sich zur gemeinsamen Nutzung spezifischer Hintergrundsysteme wie CAD oder Fertigungssteuerung. Auf Arbeitsplatzebene operieren Arbeitsplatzstationen und/oder Terminals ohne eigenen Arbeitsspeicher [15] (Bild 5).

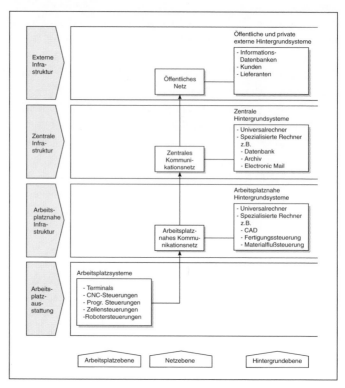

**Bild 5
Informationstech-
nische Infrastruktur
(nach Miska)**

Die Gestaltung der Netzstrukturen ist vor allem dadurch geprägt, daß auf allen Ebenen, also sowohl auf der Arbeitsplatz- als auch auf der Netz- und Hintergrundebene, sich ein ständiger Wandel zeigt. Dieser Wandel bewirkt einen Anpassungsdruck, der nicht nur auf die einzelne Ebene, sondern in der Regel auf das gesamte System einwirkt. Hat ein Unternehmen einen befriedigenden Stand der DV-Integration erreicht, so kann es nicht bei diesem Stand verbleiben. An allen Stellen des Systems wirken exogene Modifizierungseinflüsse. Gesamtbetriebliche DV-Systeme sind somit untrennbar mit dem gesellschaftlichen Technologiewandel verbunden. Als Beispiel sei hier die Entwicklung der öffentlichen Netze erwähnt, die heute noch über verschiedene Übertragungsleistungen im Fernsprechbereich, bei Fernschreib- und Datennetzen, in der privaten und öffentlichen Übertragung von Bild und Ton verfügen. In der Zukunft soll zunächst jeder Bereich auf eine Norm konsolidiert werden, um dann stufenweise das Konzept eines Universalnetzes zu erreichen [6].

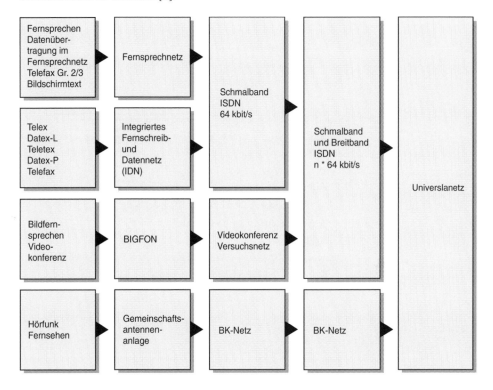

Jeder dieser Konsolidierungsschritte ist verbunden mit einer langen politischen Diskussion, welcher Übertragungsstandard der geeignete sei, und bewirkt – einmal durchgesetzt – den Anpassungszwang in jedem Unternehmen, wo heute schon eine entsprechende externe Rechnerkommunikation betrieben wird.

**Bild 6
Entwicklung der öffentlichen Netze (nach Evers)**

Aber auch bei der innerbetrieblichen Rechnerkommunikation ergeben sich notwendigerweise Anpassungsleistungen, wenn der zentrale Groß-rechner oder Abteilungsrechner und Arbeitsplatzrechner sich tech-nisch ändert. Netzwerke haben den Vorteil [19]:

– der einmaligen Datenhaltung,
– der Verarbeitung im bestgeeigneten Rechner,
– der Mitarbeiterkommunikation über das Netzwerk,

– der teilweisen Unabhängigkeit vom Zentralrechner und
– des möglichen Belastungs- und Störungsausgleiches.

Sie weisen aber auch den Nachteil auf, indem

– das Gesamtsystem komplexer wird,
– die Mitarbeiter ständig Zusatzqualifikationen benötigen und
– höhere Anpassungskosten zu erbringen sind.

Grundsätzlich können vier Netzstrukturen unterschieden werden, die als Basistopologien selbstverständlich miteinander zu kombinieren sind [1]:

– die Sternstruktur,
– die Ringstruktur,
– die Schleifenstruktur und
– die Busstruktur.

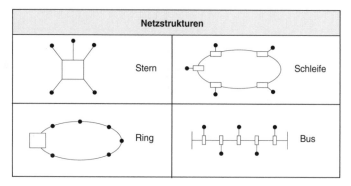

Bild 7
Netzwerktopologien
(nach Alberts)

Die Topologie eines Netzwerkes kann wiederum mit verschiedenen Übertragungsmedien ausgeführt werden:

– mit Kupferkabel für Übertragungen bis 100 Mbit/s,
– mit Koaxialkabel für Übertragungen von 100 Mbit/s und
– mit Glasfaserkabel für Übertragungen von 600 Mbit/s und mehr.

Mit der Installation eines Netzwerkes ist keineswegs eine Kommunikation zwischen Benutzern gewährleistet. Um eine beliebige Nachrichtenübertragung zwischen zwei Rechnern zu ermöglichen, müssen die elektronischen Signale in einer standardisierten Form beim Absenden codiert sein, um fehler- und widerspruchsfrei vom Empfänger decodiert werden zu können. Die gebräuchlichste Form ist das ISO/OSI-Modell, ein internationaler Standard, der sich in sieben funktionale Schichten gliedert: von der physikalischen Bitübertragungsschicht (physical), der Datensicherungsschicht (Data Link) über die Vermittlungs- (Network), Transport- (Transport), Sitzungs- (Session), Darstellungs- (Presentation) bis hin zur Anwendungsschicht (Application) [8].

Der zu übertragenden Information werden Protokollelemente hinzugefügt, so daß in der untersten Schicht die Gesamtinformation aus der ursprünglichen Information und den sieben angefügten Protokollelementen besteht. Diese Gesamtinformation wird dann über das physikalische Medium (z. B. Kabel) übertragen. Nach Verarbeitung in der jeweiligen Schicht wird das betreffende Protokollelement von der Gesamtinformation abgetrennt, so daß zuletzt die ursprüngliche Information wiederhergestellt ist.

**Bild 8
Kommunikation im
ISO/OSI-Modell
(nach Gremminger)**

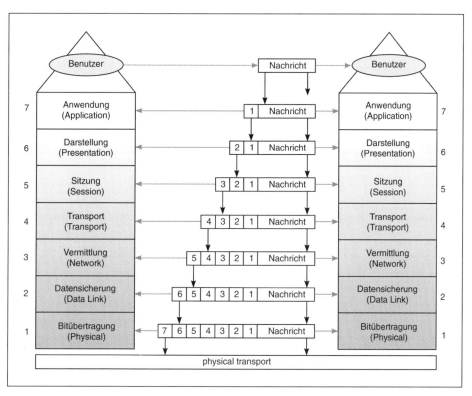

Natürlich bedarf es je nach der Homogenität der Hardware innerhalb der Netze einer unterschiedlichen Detaillierung der Protokollelemente [10] (Bild 9).

– Hardwarekompatible Rechner können direkt oder über einen Repeater miteinander verbunden werden, wo nur die Bitübertragung weitergeleitet wird.

– Eine Bridgeverbindung bedarf der Protokollelemente für Bitübertragung und Datensicherung.

– Werden Rechner über ein Router verbunden, so sind Vermittlung (Netzwerk), Datensicherung und Bitübertragung zu protokollieren.

– Bei der Gatewayverbindung erfolgt die Definition aller Protokollelemente.

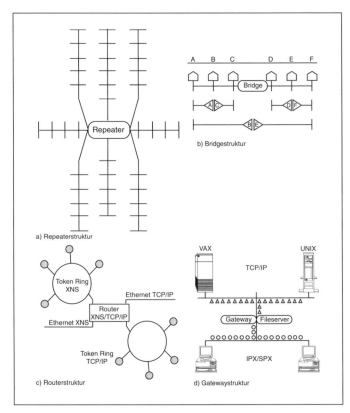

Bild 9
Netzwerkstrukturen
(nach Hawlik)

DATACOM • EDI

Für eine sinnvolle Kommunikation müssen beide Netze beim Repeater identisch sein. Es tritt keine Reduzierung der Datenbelastung auf den einzelnen Segmenten ein. Ein Netzwerk aus mehreren Segmenten ist dann wie ein großes Netz. Repeater sind von den Netzwerk-Protokollen unabhängig. Bei einzelnen lokalen Netzen muß auf Einschränkungen durch das Übertragungsprotokoll geachtet werden, da die Repeater lediglich Signale verstärken und keine Auswertung irgendeines Protokolls durchführen.

Eine Bridge kann sowohl gleichartige als auch unterschiedliche LANs (Local Area Network) verbinden. Hierbei werden zusätzlich Daten gefiltert, d. h. die einzelnen Datenpakete werden nach Empfänger- und Absenderadressen ausgewertet. Man ist hier jedoch auf den LLC-Layer (Logical Link Control), eine Unterebene der 2. OSI-Schicht für den Zugriff auf das Netzwerk, angewiesen.

Router haben prinzipiell die gleichen Aufgaben wie Bridges, es existieren aber eigene Router für jedes Protokoll. Verschiedene Router können auch mehrere Protokolle kombinieren. Sie werden vom Absender der Daten direkt adressiert für die Datenweiterleitung. Die Arbeitsweise ist deshalb wesentlich effizienter.

Die Gateways führen zusätzlich eine Umwandlung der Protokolle durch. Über Gateways, die immer aktiv sind, können Rechner Informationen austauschen, auch ohne über die gleiche Hardware zu verfügen, z. B. Unix- und DOS-Rechner.

Für die innerbetriebliche und insbesondere für die überbetriebliche Kommunikation reicht es jedoch nicht aus, den Inhalt jeder Nachricht mit einem parallelen siebenschichtigen Protokoll zu versehen. Bereits im heutigen Gebrauch wird die Schicht 7 (Anwendung oder Application) in A-Basisfunktionen und B-Datenstrukturen untergliedert, da jedes DV-System zwischen seinen Darstellungsregeln als Basis und der eigentlichen Objektbeschreibung als Datenstruktur unterscheiden muß. Herr Warsch fügt diesem Parameterpaar noch ein drittes Element hinzu, dem der betrieblichen Organisation. Jede ungezielte Nachricht in einem betrieblichen Gesamtsystem muß ihren Rezipienten automatisch finden, und der ergibt sich aus seiner Position im betrieblichen Handlungskontext. Die inner- und zwischenbetriebliche Kommunika-

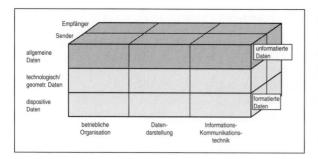

tion bedarf, wenn es sich um formatierte im Netz verteilte Daten handelt, neben der inhaltlichen und informationstechnischen Spezifikation auch der organisatorischen Determinierung von Sender und Empfänger (Bild 10).

Bild 10
Bereiche im Aufbau zwischenbetrieblicher Kommunikation (nach Warsch)

Ein zwischenbetrieblicher Datenaustausch (EDI – Electronic Data Interchange) kann nach dem ISO/OSI-Modell erfolgen, wenn die Nachrichten vollständig protokolliert (mit 7A und 7B) in den Empfängerbetrieb gelangen und folgendermaßen behandelt werden (Bild 11):

– Jede Nachricht wird in ein Format umgesetzt, das ein im Betrieb verwendetes DV-System »lesen« kann (In-House-Format).

– Jede Nachricht wird entsprechend ihrer administrativen Angaben an den oder die in Frage kommenden Rezipienten geschickt.

Bild 11
EDI-Funktionalität basiert auf ISO/OSI-7-Schichtenmodell (nach Warsch)

– Jede Nachricht wird in die dafür vorgesehene Datei eingespeichert und zur Bearbeitung von den verantwortlichen Mitarbeitern aufgerufen.

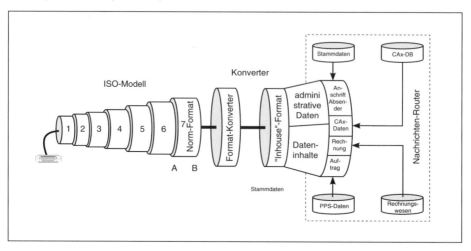

Selbstverständlich sind die Ansprüche der überbetrieblichen Kommunikation größer als die der innerbetrieblichen Verständigung über

Netzwerke. So kann es beispielsweise vorkommen, daß ein Kunde seine Vorbestellungen anhand einer im körperorientierten Volumenmodell codierten Vorgabe spezifiziert. Im Betrieb wird jedoch nur mit flächenorientierten Volumenmodellen gearbeitet. Die Information muß dementsprechend über den Konverter in das »In-House-Format« übertragen werden. Solche Konvertierungen sind bei der innerbetrieblichen Kommunikation nicht notwendig. Dennoch sind die integrativen DV-Konzepte problematisch, da sie ja ohnehin nur funktionieren, wenn die Kommunikation zwischen den Systemen fehlerfrei gewährleistet ist. Wie die technische Infrastruktur unterliegen nämlich die einzelnen Systeme selbst einer ständigen Anpassungsvariation, die eine ganzheitliche CIM-Strategie insofern unkalkulierbar macht, als man nicht mehr weiß, ob die Kalkulationselemente zu dem Kalkulationszeitpunkt noch die Struktur aufweisen, die man zum Beginn der Planung angenommen hat.

Zur Einführung der überbetrieblichen Kommunikation ist zuerst das logische Modell eines Unternehmens mit Hilfe des rechnergestützten Werkzeuges aus dem IST-Zustand so weit zu entwickeln, wie die Geschäftsprozesse am zwischenbetrieblichen Datenaustausch direkt beteiligt sind. Durch Aufbrechen der für EDI relevanten Prozesse wird das Unternehmen partiell in Hierarchie-Ebenen strukturiert. Die zwischen den Prozessen fließenden Nachrichten werden durch Datenflußdiagramme abgebildet. Externe Datenflüsse werden weiter in einem Data Dictionary definiert, so daß sich aus der Summe der Einträge eine vollständige Datenspezifikation ableiten läßt. Das Data Dictionary ist ein Ergebnis der betrieblichen Untersuchung und spiegelt Inhalt und Struktur der zwischenbetrieblich übertragenen Daten wider. Damit kann gleichzeitig der Grundstein für ein Unternehmensmodell gelegt werden.

Ein neu spezifiziertes Instrument zur Durchführung des elektronischen Datenaustausches ist eine Konvertierungs- und »Routing« Software, die einerseits firmeninterne Formate in international genormte EDI-Formate, wie z. B. EDIFACT, umsetzt und andererseits unterschiedlichste Anwendungen in die EDI-Abläufe einbindet. Es zeigte sich, daß das Festschreiben internationaler Normen für den Austausch von Nachrichten eine wesentliche Voraussetzung für wirtschaftliches EDI ist, die von branchenübergreifenden Gremien schnellstens zu erfüllen ist.

Erfahrungen über getätigte EDI-Investitionen zeigten, daß nur ein geringer Bruchteil der Kosten im Bereich der Rechnertechnik anfällt. Die Risiken bei der Einführung zwischenbetrieblicher, elektronischer Datenkommunikation liegen vor allem darin, für jede neue Kommunikationsbeziehung einen individuellen Planungsvorgang durchführen zu müssen. Die Wirtschaftlichkeit zwischenbetrieblicher Datenkommunikation wird daher wesentlich von einem Aufbauen oder Vorhandensein eines Unternehmensdatenmodells und damit der Kenntnis der internen Funktionen abhängen. Darin können jedoch nicht zuletzt noch weitere innerbetriebliche Rationalisierungspotentiale durch Einsatz der Informations- und Kommunikationstechnik angenommen werden.

Literatur

[1]   Alberts, B.: Hardware- und Softwarestrukturen, in Meins, W. (Hrsg.): Handbuch der Fertigungs- und Betriebstechnik; Braunschweig, Wiesbaden 1989

[2]   Becker, B.D.; Warnecke, H.-J.: CIM bedarf der Normung, DIN Mitteilungen, Nr.7 (1989), S.361-367

[3]   Beckurts, K.-H.: Wirtschaftsfaktor Informationstechnik, HARVARDmanager Nr.2 (1986), S.26-33

[4]   Bower, J.L.; Hout, T.M.: So sind sie schneller als die Konkurrenz, HARVARDmanager Nr.3 (1989), S.68 ff.

[5]   Eigner, M.; Meyer, H.: Einstieg in CAD, München 1985

[6]   Evers, H.: Büronetze, in Geitner, U.W.(Hrsg.): CIM Handbuch; Braunschweig, Wiesbaden 1987

[7]   Geitner, U.W.(Hrsg.): CIM Handbuch; Braunschweig, Wiesbaden1987

[8]   Gremminger, K.: Datenbanken und Netze sind Basistechnologien für die Systemintegration, Mega Nr.30/1987

[9]   Grund, K.: Der Faktor Zeit, Hewlett-Packard Novum Nr.3 (1990), S.3 ff.

[10] Hawlik, R.: Lokale Netzwerkentwicklung wissensbasierter Systeme für die Vorrichtungskonstruktion, RWTH Aachen 1989

[11] Jaspersen, T.: Computergestützes Marketing, München 1994

[12] Meinz, W. (Hrsg.): Handbuch der Fertigungs- und Betriebstechnik; Braunschweig, Wiesbaden 1989

[13] Mertens, P.: Die zwischenbetriebliche Kooperation und Integration bei der automatisierten Datenverarbeitung, Verlag Anton Hain, 1966

[14] Millar, V.E.; Porter M.E.: Wettbewerbsvorteile durch Information, HARVARDmanager Nr.1 (1986), S.26 ff.

[15] Miska, F.M.: CIM Computer-integrierte Fertigung, 2.Auflage; Landsberg/Lech 1989

[16] Porter, M.E.: Wettbewerbsstrategien, 7.Auflage, Frankfurt 1992

[17] Scheer, A.W.: Information Management bei der Produktentwicklung, Information Management Nr.3 (1989), S.6 ff.

[18] Scheer, A.W.: Simultane Produktentwicklung, Thexis Nr.4 (1989), S. 58 ff.

[19] Steinbuch, A.: Betriebliche Informatik, 5.Auflage, Ludwigshafen (Rhein) 1990

[20] Tönshoff, H.K.: Forderung der Fertigung an die rechnerintegrierte Konstruktionstechnik, ZWF/CIM (1986) 11, S.574

[21] Warsch, C.: Planung rechnerunterstützter Kommunikation im Unternehmensverbund, VDI-Verlag Düsseldorf 1992

Informationsmanagement und Organisation eines Unternehmens am Ausgang des 20. Jahrhundert

Hans-Jörg Bullinger[1]

[1] Dieser Beitrag entstand unter der Mitarbeit von:

Werner Brettreich-Teichmann, M.A.;
Dr.-Ing. Klaus-Peter Fähnrich;
Hans-Peter Fröschle, M.A.;
Dipl.-Ing. Rolf Ilg;
Dr. Joachim Niemeier;
Dipl.-Kauffr. Martina Schäfer und
Dipl.-Ing. Martin Schmauder

1. Struktureller Wandel als Herausforderung

Der vielfach beschriebene Wandel vom Anbieter- (Verkäufer-) zum Käufermarkt verändert die Randbedingungen für die Unternehmen. Produziert wird nicht mehr für einen anonymen Massenmarkt, sondern für Einzelkunden mit individuellen Produkt-, Liefer- und Qualitätsanforderungen [4] [5]. Selbst kundenspezifische Produkt- und Produktionsprozeß-Entwicklung ist keine Seltenheit mehr. Es wird versucht, durch die Verwendung von standardisierten und modularen Komponenten den Aufwand zu reduzieren. Trotzdem erfordert diese Art zu produzieren einen hohen Informations- und Koordinationsaufwand. Die alten tayloristischen Produktionskonzepte stoßen dabei an ihre Grenze, bzw. schaffen durch große indirekte Planungs- und Steuerungsbereiche noch zusätzliche Probleme. Der strukturelle Wandel läßt sich zusammenfassend kennzeichnen durch Veränderungen (Bild 1):

Bild 1
Struktureller Wandel als Herausforderung für die Unternehmen

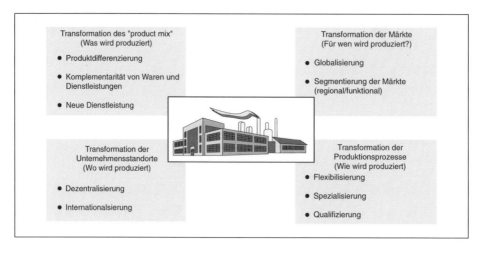

- der nationalen und internationalen Märkte,
- des Produkt- und Leistungsspektrums,
- der Produktionsprozesse sowie
- der Unternehmensstandorte.

Dieser Wandel bedeutet auf der einen Seite eine Gefahr für diejenigen Unternehmen, die an traditionellen Strukturen festhalten. Andererseits ergeben sich Chancen und Räume für Veränderungen, die als »Konzepte des schlanken Unternehmens« diskutiert werden.

2. Konzepte des schlanken Unternehmens

Unter »Lean Production« versteht man ein Produktionssystem, in welchem es in besonderer Weise gelingt, Mensch, Organisation und Technik im inner- und zwischenbetrieblichen Bereich besser aufeinander abzustimmen, so daß eine Leistungsfähigkeit und Effektivität entsteht, die konventionellen Produktionssystemen überlegen ist [4] [5]. In Bild 2 sind die Konzepte des »Lean Management« aufgeführt. Diese Konzepte greifen ineinander und bedingen sich gegenseitig. Der Schwerpunkt dieses Beitrags liegt nicht auf der Beschreibung der Lean Management-Konzepte, sondern auf den Aspekten der Informations- und Kommunikationsrandbedingungen innerhalb der Konzepte. »Lean Management« macht weder an den Fabrikhallen noch an den Werkstoren, den Unternehmungs- und Ländergrenzen halt. Es gilt, den dispositiven Bereich (Projekt-, Linie-, Stabs- und Zentralbereiche) über die gesamte Unternehmenshierarchie hinweg zu hinterfragen. Es schließt Standortverlagerungen sowie die kooperative Einbindung von Lieferanten und Kunden in die Kernprozesse – Unternehmensplanung, Produktentwicklung, Auftragsabwicklung – mit ein.

Die Konzepte eines schlanken Unternehmens sind bekannt, nun tritt die Frage der Übertragbarkeit der Konzepte sowie die Suche nach einer geeigneten Vorgehensweise der Implementierung in westliche Unternehmen in den Vordergrund.

Eine wesentliche Rolle in diesem Prozeß werden Informations- und Kommunikationssysteme spielen. In den letzten Jahren hat es sich

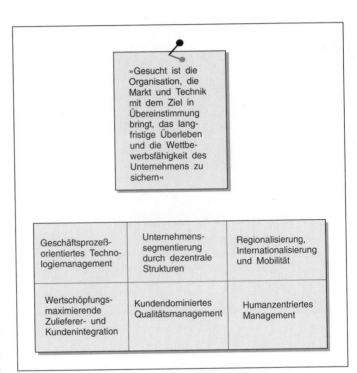

»Gesucht ist die Organisation, die Markt und Technik mit dem Ziel in Übereinstimmung bringt, das langfristige Überleben und die Wettbewerbsfähigkeit des Unternehmens zu sichern«

Geschäftsprozeß-orientiertes Technologiemanagement	Unternehmenssegmentierung durch dezentrale Strukturen	Regionalisierung, Internationalisierung und Mobilität
Wertschöpfungsmaximierende Zulieferer- und Kundenintegration	Kundendominiertes Qualitätsmanagement	Humanzentriertes Management

**Bild 2
Konzepte
des schlanken
Unternehmens**

gezeigt, daß Information neben den klassischen Produktionsfaktoren Boden, Arbeit und Kapital zu einem weiteren (entscheidenden) Produktionsfaktor wird [7]. Dieses zeigt sich daran, daß, wie in Bild 3 dargestellt ist, der Anteil der Tätigkeiten, die den verschiedensten Formen der Informationsbearbeitung und -verarbeitung gewidmet sind (in der Regel Büroarbeit), ständig zunimmt. Es entstehen somit neue Anforderungen an Zuverlässigkeit, Aktualität und Verfügbarkeit von betrieblichen Daten.

Obwohl Unternehmen in der Vergangenheit zum Teil beachtliche Summen in die Hard- und Software neuer Informations- und Kommunikationssysteme investiert haben, ergibt sich kein eindeutiger Beleg dafür, daß die neuen Technologien die Produktivität beziehungsweise die Rentabilität entscheidend anheben konnten. Hier hat es sich gezeigt, daß die rein technikorientierte, von einem Zentralrechner ausgehende, Vernetzung des Unternehmens nicht den gewünschten Erfolg hatte. Der »Vernetzungseuphorie« der 80er Jahre ist die Ernüchterung durch sogenannte »CIM-Havarien« gefolgt. Zentral ausgerichtete und verwaltete Systeme sind an ihre Grenzen gestoßen – I&K-Technik

und betriebliche Organisation haben sich nicht ergänzt, sondern sich gegenseitig behindert. Die Technik konnte nicht menschengerecht gestaltet werden, und die traditionellen Organisationskonzepte konnten die Technik nicht nutzen.

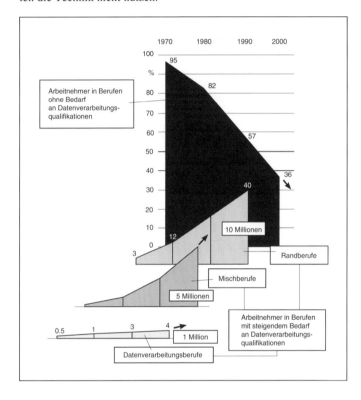

Bild 3
Beschäftigungsentwicklung an Arbeitsplätzen mit und ohne DV 1970 – 2000 (Quelle: Dostal 1987 in [11])

3. Potentiale von Informations- und Kommunikationssystemen

Verbesserungspotentiale, die rein durch neue I&K-Techniken im Rahmen von traditionellen Organisationskonzepten entstanden sind, sind erschöpft. In der Zukunft lassen sich Verbesserungspotentiale durch I&K-Technik nur in Verbindung mit grundlegenden Veränderungen der Organisationsstruktur realisieren (Bild 4).

Zentraler Gedanke der weiteren Ausführungen ist, daß der Einsatz von Informations- und Kommunikationstechnik die Wirtschaftlichkeit und

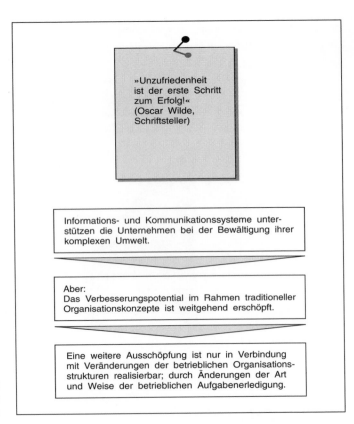

**Bild 4
Potentiale von
I & K-Systemen**

die Funktionsfähigkeit der betrieblichen Koordinationsprozesse positiv beeinflußt [7] [8] [9] [10]. Vor dem Hintergrund der Zunahme von Gruppenarbeitsstrukturen kann von einer weiteren Steigerung des Informations- und Kommunikationsbedarfes ausgegangen werden. Der Einsatz von I&K-Technik ist somit ein zentraler Punkt bei der Verwirklichung der »Lean-Konzepte«.

Räumliche Entfernungen verlieren für die Weitergabe und Verarbeitung von Informationen an Bedeutung. Es ergeben sich neue Freiräume bei der Wahl des Arbeitsortes (z. B. Telearbeit) und bei der Auswahl potentieller Geschäftspartner.

Die Synchronisation (Store- and Forward-Prinzip und/oder Parallelisierung) zwischen einzelnen Partnern – auch über unterschiedliche Zeitzonen hinweg – kann optimiert werden (Concurrent/Simultaneous Engineering).

DATACOM • EDI

Informationen aus der gesamten Organisation können über die Zeit bewahrt und allen Organisationsmitgliedern bei Bedarf verfügbar gemacht werden (»organisatorisches Gedächtnis«). Durch Informations- und Kommunikationssysteme können mehr Informationen pro Zeiteinheit übertragen werden. Kommunikationskosten lassen sich drastisch senken. Diese Eigenschaften neuer I&K-Techniken bilden die Ausgangsbasis für die Gestaltung zukunftsorientierter Unternehmensstrukturen.

3.1 Geschäftsprozeßorientiertes Technologiemanagement

Bisher war die Architektur der Informationsprozesse der funktional gegliederten Unternehmensorganisation angepaßt. Die strategische Neuausrichtung der Unternehmensorganisation hin zu einer geschäftsprozeßorientierten Organisationsform bleibt auch für die Informationsinfrastruktur nicht ohne Folgen. Die Informationstechnik muß den wettbewerbsorientierten Geschäftsprozessen quer durch das Unternehmen folgen. Auf diese Weise entsteht eine Integration der Funktionsbereiche durch die Informationsverarbeitung, was bei entsprechender I&K-Technikausrüstung weniger zeitaufwendige Kommunikations-, Kontroll- und Abstimmungsprozesse zur Folge hat.

Geschäftsprozesse sind dabei diejenigen betrieblichen Strukturen, die sich entlang der Wertschöpfungskette identifizieren lassen und unmittelbar auf den Erfolg am Markt ausgerichtet sind (marktorientierte Kernprozesse des Unternehmens). Es gilt, den Kunden an jeder Stelle des Unternehmens zu sehen.

Geschäftsprozeßorientiertes Technologiemanagement ist durch die folgenden Merkmale gekennzeichnet:

– Identifikation der Kernprozesse des Unternehmens (z. B. Produktentwicklung, Auftragsabwicklung, Unternehmensplanung).

– Informationelle Absicherung der Kernprozesse (Bereitstellung von entscheidungsrelevanten Prozeß- und Produktdaten).

– Optimierung und Definition der Prozeßübergänge mit Datenaustauschformaten.

Voraussetzung für die Realisierung des Geschäftsprozeß-Ansatzes ist ein unternehmensweit organisierter Informationszugriff sowie eine

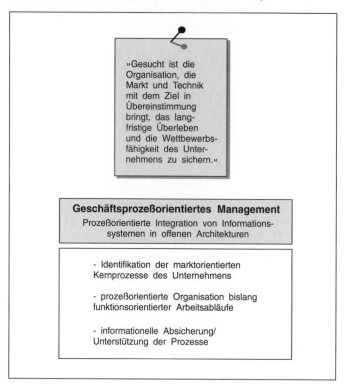

Bild 5
Geschäftsprozeß-orientiertes Technologiemanagement

entsprechende Infrastruktur zur Kommunikation auf elektronischem Wege [18]. Ein unternehmensweit organisierter Informationszugriff bedeutet dabei aber nicht die umfassende Integration heterogener Informations- und Kommunikationssysteme, sondern die partielle Integration verteilter Informationssysteme aus dem Fertigungsbereich und dem Bürobereich entlang der Prozeßkette auf der Basis von definierten offenen Informationsarchitekturen.

Workflow und Groupware

In schlanken Unternehmen werden vor allem prozeßunterstützende und kooperative Werkzeuge und Anwendungen eine wesentliche Rol-

DATACOM • EDI

le spielen [19]. Zwei Trends zeichnen sich, wie in Bild 6 dargestellt ist, heute schon ab: zum einen der Trend der zunehmenden Prozeßorientierung der Bürokommunikation und zum anderen die zunehmende Flexibilisierung der Datenverarbeitung. Das Zusammenwachsen von Bürokommunikation und Datenverarbeitung manifestiert sich in Produkten und Anwendungen, die unter den Begriffen Vorgangskommunikation, Workflow oder Groupware inzwischen die Szene beherrschen.

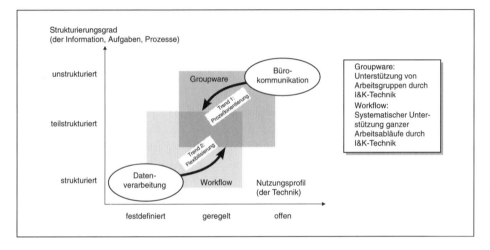

Mit Groupware und Workflow sind neue Konzepte auf den Markt gekommen, die die individuellen und kommunikativen Anwendungen der Bürokommunikation als Plattform verwenden. Workflow-Konzepte fügen diese auf der Basis bereitgestellter Entwicklungstools zu vorgangsorientierten Anwendungssystemen zusammen. Groupware-Konzepte hingegen komplettieren den Werkzeugkasten der Bürokommunikation durch spezialisierte, für den Einsatz in Gruppen geeignete Anwendungen. D. h. diese auf individuellen und kommunikativen Anwendungen aufbauenden Systeme haben die Aufgabe, Tätigkeiten am Arbeitsplatz im klassischen Sinne zu unterstützen und darüber hinaus Arbeitsprozesse, die mehrere Arbeitsplätze umfassen, zu unterstützen, zu steuern und zu koordinieren.

**Bild 6
Entwicklungs-
trends der Büro-
kommunikation**

Zwar wird die Datenverarbeitung in den klassischen Anwendungen, wie z. B. Buchungssysteme oder Lagerwesen, sicherlich auch nach wie vor sinnvoll eingesetzt werden können, aber dennoch wird in Expertenkreisen über eine Ablösung der prozeßorientierten Datenverarbeitung durch Workflow diskutiert. Mit Groupware und Workflow sind neue, mit dem Begriff »revolutionär« belegte Produkte auf den Markt gekommen, die im Grunde keine andere Aufgabe haben als die Bürokommunikation selbst: nämlich sowohl die Aufgaben am Arbeitsplatz zu unterstützen und – dies ist die »neue« Dimension – Arbeitsprozesse, die mehrere Arbeitsplätze einbeziehen, zu unterstützen, zu steuern und zu koordinieren.

Wichtige technische Funktionalitäten zur Unterstützung dieser Prozeß- und Teamintegration in schlanken Unternehmen stellen die Komponenten der Multimedia-Technik, wie z. B. Audio/Video und Imaging, zur Verfügung. Eine geschäftsprozeßorientierte Nutzung von Informationssystemen basiert zukünftig auf der Modularität der multimedialen Ressourcen, die so konzipiert, realisiert und abgespeichert werden, daß sie in unterschiedlichsten Anwendungen nutzbar sind. Die in den Unternehmen nach wie vor dominierenden nichtcodierten Informationen, wie z. B. die papierbasierten Archive, Mikrofilme und Mikrofiches, können mit Hilfe von »Imaging«-Systemen kommuniziert und verarbeitet werden.

Unternehmenssegmentierung durch dezentrale Strukturen

Die den westlichen Unternehmen meist zugrunde liegenden Organisationsmodelle beruhen immer noch auf dem Verständnis der tayloristischen Arbeitsteilung mit der ihr eigenen Trennung in planende und ausführende Funktionen mit einer ausgeprägten vertikalen Steuerung und Kontrolle. Die daraus resultierende funktionale Aufgabengliederung ermöglicht eine hohe Spezialisierung und eröffnet über den Technikeinsatz ein hohes Rationalisierungspotential. Sinnvolle organisatorische Veränderungen reichten aber selten über die funktionalen Organisationsgrenzen hinaus und riefen häufig den Widerstand derjenigen hervor, die in konventionellen funktionalen Abteilungen und Fachbereichen »groß geworden« waren.

In den Fachbereichen selber entstehen eigenständige Kommunikationswelten; Fachbereichsdenken führt zu gegenseitigen Abgrenzungen. Die sich an den Bereichsgrenzen aufbauenden Barrieren behindern den Informations- und Fertigungsfluß. Die daraus entstehenden Folgen sind beispielsweise:

- Informationsverluste und Übertragungsfehler.
- Informationslücken in nachgelagerten Bereichen bleiben den vorgelagerten Stellen intransparent.
- Informationen über Störsituationen werden nur unzureichend weitergegeben.

Notwendige Reaktionen werden, wenn überhaupt, nur verspätet eingeleitet.

Informations- und Kommunikationssysteme werden in einer solchen Situation häufig als die Lösung auf dem Weg zu einer höheren Integration gesehen. In vielen Unternehmungen begegnen wir heute nicht zuletzt deshalb einer Vielzahl heterogener Informations- und Kommunikationssysteme aus unterschiedlichen »Informationswelten«: auf der einen Seite CIM in der Produktion, auf der anderen Seite die Büroautomation, die die administrativen Prozesse unterstützen soll. Zum Schnittstellen-Reichtum kommt häufig noch der Hang zu allumfassenden Lösungen und einer technikverliebten Überperfektionierung, was letztendlich die Sache eher verkompliziert als vereinfacht. Erst langsam setzt sich die Erkenntnis durch, daß neue Hard- und Softwareprodukte auf einer höheren Integrationsstufe allein keinen umfassenden Ansatz zur Lösung der gegenwärtigen Probleme darstellt. Sogenannte »CIM-Havarien« bieten abschreckendes Anschauungsmaterial für einen »totalen Integrationsanspruch«, der sich primär auf das bereichs-, unternehmensweite oder sogar firmenübergreifende Zusammenfügen von Strukturen und Infrastrukturen konzentrierte.

**Bild 7
Unternehmenssegmentierung durch dezentrale Strukturen**

»Die Organisation des ständigen Wechsels erfordert einen hohen Grad an Dezentralisation, um schnelle Entscheidungen zu ermöglichen«.
(Drucker 1992)

Unternehmenssegmentierung durch dezentrale Strukturen
Aus Schnittstellen Nahtstellen machen

- Schaffung umfassender Aufgaben- und Verantwortungskomplexe

- Aufbau effektiver und effizienter dezentralisierter Unternehmenseinheiten auf der Basis von Geschäftsprozessen.
(»Mini Companies«, Fertigungs-/Montage-/Vertriebsinseln)

- Optimierung der Schnittstellen zwischen den Unternehmenssegmenten

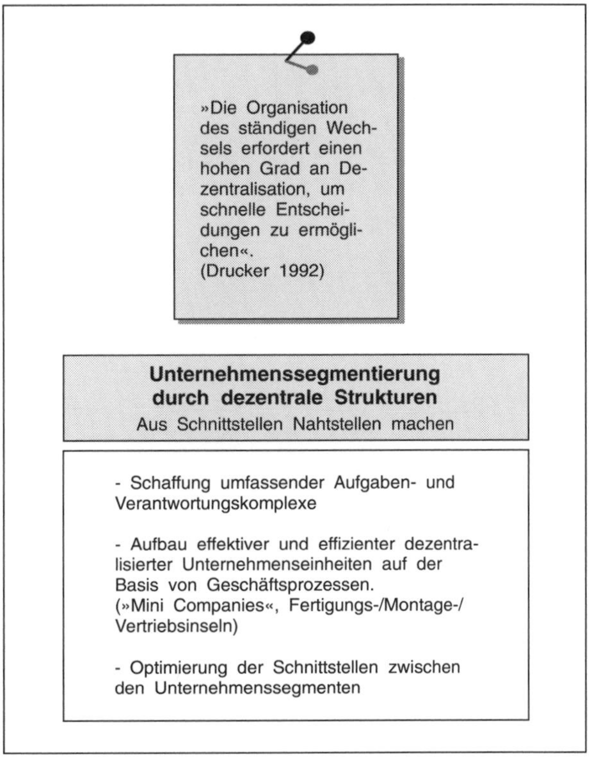

Schnittstellenarme Einheiten, wie sie beim Lean Management konsequent umgesetzt werden, zeichnen sich demgegenüber dadurch aus, daß betriebliche Funktionen, die für die Produktherstellung und Auftragsabwicklung notwenig sind wie Planung, Disposition, Beschaffung, Steuerung etc. in die Produktlinie integriert werden.

Dezentrale Verantwortungsbereiche (»Mini Companies«) in Produktion und Vertrieb können beispielsweise in baugruppenorientierte Fertigungsinseln, produktorientierte Montage-Inseln oder nach Absatzregionen gebildete Vertriebsinseln realisiert werden. Weiterreichende Konzepte zur Unternehmungssegmentierung werden etwa unter den

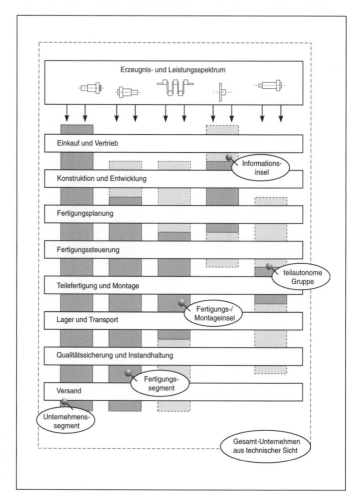

Bild 8
Formen der Unternehmenssegmentierung durch dezentrale Strukturen

DATACOM • EDI

Begriffen »Fertigungssegment« und »Unternehmungssegment« diskutiert [4]. Die Dezentralisierung eines großen Unternehmungsblocks in überschaubare selbständige Einheiten ist das weitreichendste Modell der Unternehmungssegmentierung [21].

In der aktuellen Diskussion zur Neuorientierung der Unternehmungen zeigt sich, daß es zwangsläufig zu einem Wechsel der Leitbilder im Management kommen muß. »Die Dynamik der Märkte, die schnellen Innovationszyklen, aber besonders die anspruchsvollen Kunden verlangen, daß die Menschen nicht nur als Sachbearbeiter ihre Sachen bearbeiten, sondern etwas unternehmen – als Unternehmer im Unternehmen. Dazu bedarf es informierter, kundenorientierter und kompetenter Menschen an der sogenannten Basis. Wer Verantwortung übernehmen soll, braucht Informationen. Computernetze und I&K-Systeme durchbrechen Abteilungsschranken und Hierarchie-Ebenen. Sie machen Unternehmen flexibler, lebendiger und lebensfähiger. Sie sind das Nervensystem in einem lebendigen Organismus. Sie fordern Kommunikation zwischen Menschen. Sie verwalten keinen vierten Produktionsfaktor Information, sondern sie verstärken die Fähigkeiten der Menschen: ihr Wissen, ihre Kreativität und Initiative. Ähnlich wie Maschinen die Muskelkraft vervielfachen, so wirken die I&K-Technologien wie Intelligenzverstärker. Sie steigern das Humanvermögen – das was Menschen vermögen« [12].

Client/Server-Strukturen

Die Umsetzung der beschriebenen Anforderungen ist erst durch die Entwicklungen der I&K-Technologien möglich geworden. War früher eine zentral verwaltete und unflexible Betriebs-EDV der Stand der Dinge, so können jetzige Ziele nur mit Hilfe der sogenannten »Client-Server«-Architekturen erreicht werden. Für die neuen Teamstrukturen erweisen sich die zentral orientierten Datenverarbeitungssysteme eher hemmend als unterstützend. Verteilte, vernetzte, teamorientierte DV-Strukturen sind die neue Basis zur DV-technischen Unterstützung der Lean-Strategien. Der enorme technische Wandel der letzten 10 Jahre hat die Basis geschaffen für eine verteilte DV-Infrastruktur, die zu einem Bruchteil der Kosten ein Vielfaches an »Computing Power« bereitstellt [24]. Diese »Computing Power«, richtig eingesetzt, kann einen deutlichen Produktivitätsgewinn bewirken.

Kennzeichen der Client-Server-Systeme ist, daß, wie in Bild 9 dargestellt, die Rechnerleistung »verteilt« wird. Es gibt nicht einen zentralen Hochleistungsrechner mit sternförmig angeschlossenen Terminals, sondern verteilte Rechnersysteme mit unterschiedlichen Schwerpunkten. Jeder Benutzer kann die für ihn wichtigen Funktionen nutzen, und er ist gleichzeitig für seinen spezifischen Bereich verantwortlich. Jeder kann mit jedem kommunizieren (Client), gleichzeitig kann jeder Daten verwalten und weitergeben (Server).

Diese Veränderung ist eine konsequente Fortsetzung der vielerorts bereits parallel entstandenen PC-Kultur, die dadurch gekennzeichnet ist, daß der Anwender für sein isoliertes System Experte in Bezug auf Beschaffung, Software, Schulung usw. ist. Ansprechpartner für ihn ist eher »der Händler um die Ecke« als die betriebsinternen DV-Spezialisten. Im Zuge der Client-Server-Architekturen sollte hier ein Full-Service-Partner beauftragt werden, der wie in Bild 10 dargestellt ist, von der Hardware über die Software bis hin zur Vernetzung und Anwenderschulung ein kompetenter Partner ist. Ein Wildwuchs von unterschiedlichen DV-Ausprägungen kann so vermieden werden und die Mitarbeiter sind von diesen eher fachfremden und administrativen Aufgaben befreit.

**Bild 9
Migration zu Client-
Server-Datenverar-
beitungsstrukturen
(nach Streibich 1993)**

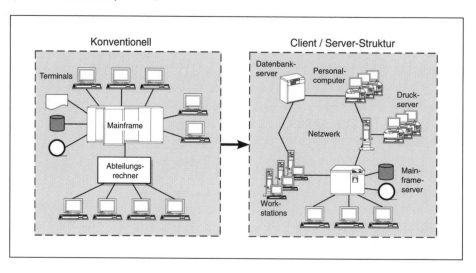

Durch diese Full Service-Partnerschaft wird auch ein Wandel vom herstellerspezifischen »Komplettsystem« hin zum bedarfsgerechten Komponentensystem möglich. Wirtschaftliche Vorteile entstehen bei

Client-Server-Systemen durch den Wegfall der indirekten und somit nicht am Wertschöpfungsprozeß beteiligten DV-Abteilung und durch die verbesserten Anwendungs- und Kommunikationsmöglichkeiten.

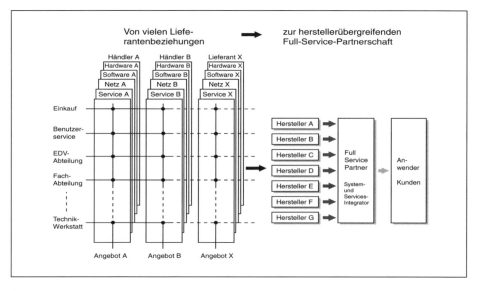

Offene Systeme

Eine der bedeutenden Bewegungen der letzten Jahre im Bereich der Informationsverarbeitung ist die Entwicklung hin zu offenen Systemen. Bestehende Technologien werden durch flexible, kostengünstige und auf Client-Server-Architekturen basierende offene Systeme abgelöst.

»Offene Systeme sind Software-Umgebungen, die entwickelt und implementiert sind auf der Basis von Standards, die allgemein verfügbar sind und größtenteils von Herstellern unabhängig sind« (Zitat: X-OPEN in Laidig 1993).

Kennzeichen von offenen Systemen sind:

– *Portabilität:*
  Anwendungen (Programme) müssen mit möglichst geringem Aufwand von einem Rechnersystem auf ein anderes Rechnersystem (von einem anderen Hersteller) portierbar sein. Erreicht wird dieses durch Portabilitätsstandards, so daß im Idealfall nur das Quellprogramm rekompiliert werden muß.

**Bild 10
Full Service-Partnerschaft zur Vereinfachung der Abläufe
(nach Streibich 1993)**

– *Interoperabilität:*

Interoperabilität bedeutet, daß Rechnersysteme unterschiedlicher Hersteller in einem Netz betrieben werden können und daß Daten von Rechner zu Rechner ausgetauscht werden können. Es soll sogar möglich sein, daß einzelne Elemente einer Anwendung auf unterschiedliche Rechner aufgeteilt werden können. Der Benutzer soll nicht merken, auf welchem Rechner die Anwendung läuft und von welchem Rechner z. B. die Daten zur Verfügung gestellt werden. Interoperabilität geht damit über die reine Netzwerkfähigkeit hinaus.

– *Skalierbarkeit:*

Anwendungen müssen unabhängig von der Größenordnung des Rechnersystems lauffähig sein.

Offene Systeme haben sich am Markt vor allem aus drei Gründen durchgesetzt (Laidig 1993):

1. Kostenreduzierungen im EDV-Bereich sind am besten über offene Systeme zu erzielen, da sowohl die Hardwareplattform bezüglich der Hersteller flexibel ist, und durch die Vereinheitlichung der Software sich die laufenden Betriebskosten reduzieren.

2. Eigenentwicklungen von Software werden immer zeitaufwendiger und damit teurer. Deshalb wird für viele Anwendungen immer mehr Standardsoftware eingesetzt. Das Angebot von Standardsoftware ist mittlerweile bei offenen Systemen am größten. Im Jahr 1992 haben bereits 80 % aller Softwarehäuser auf der Basis von Offenen Systemen entwickelt.

3. Der Einstieg in neue Technologien wie Client-Server-Architekturen und die damit verbundene größere Flexibilität ist am einfachsten über offene Systeme zu erzielen.

3.3 Regionalisierung, Internationalisierung und Mobilität

In Ergänzung zu den beschriebenen Möglichkeiten kann als zusätzliches Kriterium die räumliche Verteilung von Geschäftstätigkeiten angeführt werden. Globalisierung und Regionalisierung beschreiben dabei den Prozeß weltweiter Präsenz bei gleichzeitig regional individuellem Angebot. Die Veränderungen im Käuferverhalten und die Chancen zur besseren Erschließung von Ressourcen (Global Sourcing) erzwingen die Entwicklung einer internationalen Standortstrategie. Außer der Verlagerung und Dezentralisierung von einzelnen Unternehmenssegmenten bestehen unterhalb der Grenze der rechtlichen Verflechtung Kooperationsmöglichkeiten durch strategische Allianzen [14]. Strategische Allianzen dienen der Bündelung gemeinsamer Aktivitäten unterschiedlicher teilweise konkurrierender Unternehmen in strategischen Bereichen. Beispiele sind Allianzen für Forschung und Entwicklung, aber auch die regionale Zusammenfassung von Vertriebsaktivitäten.

Auch hier kann aus dem Einsatz geeigneter Informations- und Kommunikationstechnik wirtschaftlicher Nutzen gezogen werden. Als besonderes Kriterium gilt in diesem Zusammenhang die schnell verfügbare Information, egal wo und von welchem Rechner sie herkommt. Damit werden hohe Anforderungen an die Netzfähigkeit der Rechner

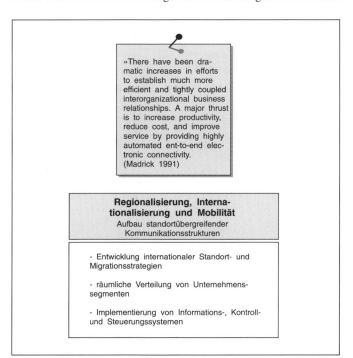

»There have been dramatic increases in efforts to establish much more efficient and tightly coupled interorganizational business relationships. A major thrust is to increase productivity, reduce cost, and improve service by providing highly automated ent-to-end electronic connectivity.
(Madrick 1991)

Regionalisierung, Internationalisierung und Mobilität
Aufbau standortübergreifender Kommunikationsstrukturen

- Entwicklung internationaler Standort- und Migrationsstrategien

- räumliche Verteilung von Unternehmenssegmenten

- Implementierung von Informations-, Kontroll- und Steuerungssystemen

**Bild 11
Regionalisierung, Internationalisierung und Mobilität**

gestellt, verbunden mit einer hohen Leistungsfähigkeit der Netze selbst.

Vor dem Hintergrund der beschriebenen Entwicklungen kann diese Informationsverarbeitung und Kommunikation immer weniger auf lokale Netze (LAN) begrenzt gesehen werden. Unternehmensübergreifende Kommunikationsinfrastrukturen setzen eine hohe Leistungsfähigkeit und Verfügbarkeit auch standortübergreifend voraus. Hochgeschwindigkeits-MANs (Metropolitan Area Networks) und -WANs (Wide Area Networks) müssen dazu beitragen, daß der Nutzer letztendlich keinen Unterschied feststellen kann, wenn er lokal oder weltweit Informationen austauscht. Diese Kombination von Leistungsfähigkeit von LANs und internationaler Verfügbarkeit wird in dem Begriff »Global LAN« ausgedrückt [2]. Basis hierfür sind international standardisierte Telekommunikationsnetze und -dienste.

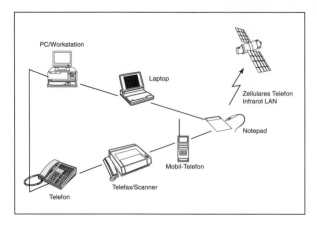

Bild 12
Zukunftsvision
»Mobile Computing«

Innovative Organisationsstrukturen müssen nicht notwendigerweise auf feste Standorte beschränkt sein. Zusätzlicher Nutzen kann aus einer mobilen Nutzung (Mobile Office) von Informations- und Kommunikationssystemen gezogen werden. Die hieraus abzuleitende Anforderung an die Telekommunikationsinfrastruktur geht in Richtung hybrider Netzarchitekturen, die eine Integration von terrestrischen Netzen und funkgestützten Netzen (Mobilfunk, Bündelfunk, Satellit) ermöglichen (Bild 12). Wichtig ist hier, daß nicht Technik um der Technik Willen installiert wird, sondern daß ein tatsächlicher Nutzen entsteht.

3.4 Wertschöpfungsmaximierende Zulieferer- und Kundenintegration

Über die unternehmensinterne Prozeßintegration hinaus erhält die unternehmensübergreifende Integration von Aufgaben und Prozessen

eine zunehmende Bedeutung. Die Integration von Wertschöpfungsketten verschiedener Unternehmen zielt auf die Ausdehnung der Organisationsgrenzen unter Einbeziehung von Elementen anderer Organisationsformen (»vom Teilefertiger zum Wertschöpfungspartner«).
Hierbei gilt es, alle beteiligten Parteien, angefangen bei den Material-
und Komponentenzulieferern, über die Produktionsanlagenhersteller,
den Handel bis hin zu Pilotkunden bzw. alliierten Kooperationspart-
nern, in der Gestaltung des Lean Management zu berücksichtigen.

**Bild 13
Wertschöpfungs-
maximierende
Zulieferer- und
Kundenintegration**

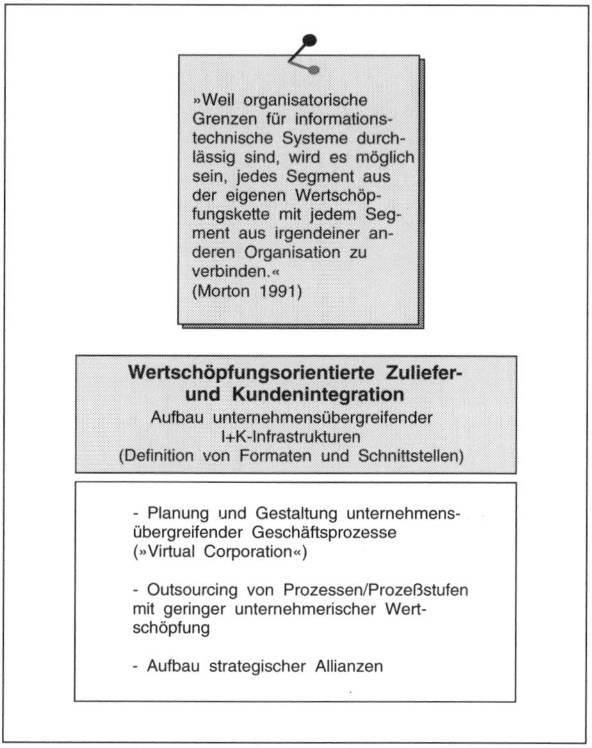

Ein größerer Teil der Wertschöpfung kann zum Beispiel von den
Zulieferern durch Entwicklungspartnerschaften mit gemeinsamer
Optimierung der Kosten und der
Fertigungstiefe erbracht werden.
Schlanke Unternehmungen tei-
len die Wertschöpfungs- und die
Innovationskette zur Pro-
duktherstellung neu auf (»Mo-
dular Sourcing«).

Sieht man die Zuliefer-Struktur
als eine Pyramide an, so werden
die Zulieferer in mehrere Kategorien eingeteilt. Einerseits besteht eine geringe Anzahl von
Systemlieferanten als Erstzulie-
ferer, andererseits gibt es eine
größere Anzahl von Subzuliefe-
rern. Die Zusammenarbeit zwischen Herstellern und Zulieferern ist insbesondere bezüglich
der Forschung und Entwicklung
intensiviert. Simultaneous Engineering verkürzt die Entwicklungszeiten und bindet frühzei-
tig Zulieferer zur Prüfung der technischen Machbarkeit ein; ferner
parallelisiert es verschiedene Entwicklungstätigkeiten. Das Produkt-
und Produktions-Know-how ausgewählter Zulieferer kann dadurch
bereits früh in die Produkt- und Prozeßgestaltung einfließen. So sind
auch frühe Korrekturen möglich, da eine planungsbegleitende wert-
analytische Betrachtung der Projektergebnisse bezüglich der Kosten-

»Weil organisatorische
Grenzen für informations-
technische Systeme durch-
lässig sind, wird es möglich
sein, jedes Segment aus
der eigenen Wertschöp-
fungskette mit jedem Seg-
ment aus irgendeiner an-
deren Organisation zu
verbinden.«
(Morton 1991)

**Wertschöpfungsorientierte Zuliefer-
und Kundenintegration**
Aufbau unternehmensübergreifender
I+K-Infrastrukturen
(Definition von Formaten und Schnittstellen)

- Planung und Gestaltung unternehmensübergreifender Geschäftsprozesse
(»Virtual Corporation«)

- Outsourcing von Prozessen/Prozeßstufen
mit geringer unternehmerischer Wertschöpfung

- Aufbau strategischer Allianzen

ziele vorgenommen wird. Voraussetzung dazu ist der Aufbau bzw. das Vorhandensein von harmonischen Geschäftsbeziehungen.

Der Bedarf nach Verknüpfung der existierenden Inseln in einer Unternehmung, aber auch die Anbindung an Kunden und Lieferanten für eine medienbruchfreie schnelle Kommunikation und wirtschaftliche Aufgabenkoordination ist groß. Gerade bei den Anforderungen an die Kommunikation zeigt sich jedoch, wie wichtig normierte Schnittstellen wie standardisierte Kommunikationsprotokolle oder normierte Datenaustauschformate sind, damit sich die verschiedenen Systemwelten verständigen können. Mit den gegenwärtigen Formen der Dokumentenübertragung kann niemand zufrieden sein. Praxis ist häufig noch, daß sich der Informationsaustausch zwischen verschiedenen Systemen auf die bloße Übermittlung von ASCII-Zeichen reduziert. Dem Verstand und dem Empfang von gestalteten Dokumenten mit Text, Tabellen und Grafik in papierloser Form sind enge Grenzen gesetzt. Bis auf die wenigen systemkompatiblen Fälle beschränkt sich der Datenaustausch häufig auf unformatierte Texte oder noch häufiger auf die Bedienung des Fax-Gerätes. Faxen kann schließlich jeder [28].

Selbst bei kompatiblen Systemen muß der Anwender noch viel Technikwissen mitbringen, um z. B. nur ein Kundenanschreiben elektro-

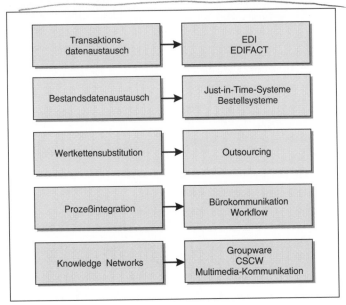

Bild 14
Komplexitäts-
stufen unterneh-
mensübergreifender
Prozeßintegration

nisch zu versenden wie die Auswahl eines Kommunikationskanals, die Frage des zu verwendenden Datenformats usw. Zukünftig werden auch hier »intelligente Navigatoren« diese Aufgaben übernehmen, so daß für den Anwender die Technik mehr und mehr zur »Black Box« wird, um die er sich nicht zu kümmern braucht.

Zunehmende Bedeutung gewinnt die kooperative Nutzung informationstechnologischer Systeme. Dedizierte einzelfunktions- bzw. arbeitsplatzbezogene Anwendungen werden zunehmend zugunsten anwendungs- bzw. unternehmungsübergreifender Informationssystemnutzung sowie kooperationsunterstützender Anwendungen aufgegeben [7] [8] [9] [19]. Nachfolgend werden mögliche Prozeßintegrationsstufen mit aufsteigender Komplexität vorgestellt (Bild 14).

Transaktionsdatenaustausch

Hier sind im wesentlichen die unter »EDI« (Electronic Data Interchange) diskutierten Anwendungsvarianten einzuordnen. Der Austausch strukturierter Daten zwischen den Computern autonomer Organisationseinheiten eignet sich im wesentlichen für Routineaufgaben, hohe Datenvolumina oder zeitkritische Vorgänge [17]. Diesbezügliche Anforderungen an die Telekommunikation bestehen zum einen hinsichtlich leistungsfähiger Datenkommunikationsnetzen, und zum anderen hinsichtlich standardisierter Austauschformate, wie sie beispielsweise im Rahmen der EDIFACT (Electronic Data Interchange for Administration Commerce and Transport) -Anwendungen definiert werden.

Bestandsdatenaustausch

Durch den Austausch von Bestandsdaten (z. B. Lagerbestände, freie Kapazitäten) wird zwischen Wertschöpfungsketten unterschiedlicher Unternehmen Transparenz geschaffen. Typische Beispiele sind Just-in-Time-Konzepte oder Buchungssysteme.

Wertkettensubstitution

Auf der Basis einer Integration von Planungs-, Kontroll- und Steuerungssystemen zwischen unterschiedlichen Unternehmen können weiterführende Überlegungen dahingehend angestellt werden, inwieweit Funktionen und Aufgaben komplett auf Marktpartner verlagert werden können. Beispiele hierfür sind Komponentenentwicklung durch Zulieferbetriebe oder »Outsourcing« von Datenverarbeitungsaufgaben.

Prozeßintegration

Eine qualitativ andere Form der Kooperation ist mit einer unternehmensübergreifenden Geschäftsprozeßintegration zur gemeinsamen Leistungserstellung gegeben. Stufen und Komponenten der Wertschöpfungsketten unterschiedlicher Unternehmen werden eng miteinander verwoben (»Wertschöpfungsnetz«) [23].

Knowledge Networks

In sogenannten »Knowledge Networks« kommt es zu einem fallweisen Zusammenschluß und Austausch von Spezialfähigkeiten und -wissen unterschiedlicher Unternehmen. Hierbei handelt es sich in der Regel um komplexe Problemstellungen mit geringem Strukturierungsgrad (z. B. Produktgestaltung, Konstruktion). Um diese Aufgaben effizient und effektiv durchführen zu können, bedarf es einer Erweiterung der reinen Datenkommunikation in Richtung mulitmedialer und Face-to-Face-Kommunikation [6].

Unterschiedliche Realisierungsformen für arbeitsplatz- und unternehmensübergreifende Kooperationsunterstützungssysteme werden allgemein als »Groupware« bezeichnet und im Rahmen des »Computer Supported Cooperative Work (CSCW)« diskutiert [25]. Hierbei ist im wesentlichen zu unterscheiden, ob es sich um asynchrone oder synchrone Kooperation handelt:

Asynchrone Kooperation zielt auf die multimediale Unterstützung von gesamten Bearbeitungsprozessen. Vorgänge, die aus einer Vielzahl von Einzeldokumenten in unterschiedlicher medialer Aufbereitung bestehen, müssen zwischen räumlich verteilten Systemen kommuniziert und eventuell zwischengespeichert werden.

Bei synchroner Kooperation steht die Echtzeitabstimmung und -bearbeitung von Dokumenten im Mittelpunkt. Dies bedeutet zumindest die

Integration verschiedener Medien auf der Darstellungsebene (»What You See Is What I Get«), ergänzt um audiovisuelle Kommunikationskomponenten. Im Unterschied zu standortinternen Informations- und Kommunikationssystemen ist hierbei die Leistungsfähigkeit der Telekommunikation zu beachten. Leistungsfähigkeit bezieht sich allgemeinen auf die Bewältigung der Datenvolumina und auf die wirtschaftliche Nutzung kommunikationstechnischer Infrastrukturen.

Für beide Kooperationsformen sind generell höhere Übertragunsraten nötig. Dieser Bedarf resultiert sowohl aus Entwicklungen der einzelnen Anwendungen als auch aufgrund der generellen Zunahme kommunikationstechnischer Vernetzung. Ein wichtiger Aspekt ist allerdings, daß bei Datenraten über 100 Mbit/s derzeit nicht mehr die Kommunikationsnetze, sondern die Operationsgeschwindigkeit der Prozessoren die Engpässe darstellen. In Bild 15 sind die Anforderungen an zukünftige Datenübertragungsraten aufgelistet.

Berücksichtigt man den grundsätzlichen Trend zunehmender Koordination der Austauschbeziehungen über Marktmechanismen, so bezieht sich der Bedarf nach steigenden Übertragunskapazitäten vor allem auf Wählverbindungen, da die Kooperationspartner nicht feststehen und nur temporär eingebunden werden. Eine wirtschaftlich sinnvolle Lösung stellen hier voll digitalisierte Breitbandnetze mit variablen Bitraten dar, bei denen nach Übertragungsvolumen tarifiert wird. Dies ist aus heutiger Sicht mit dem ATM-Prinzip (»Asynchronous Transfer Mode«) realisierbar. Die Übertragungsleistung kann besser an die variierenden Anforderungen der Nutzer angepaßt und gleichzeitig das Netz optimaler ausgelastet werden, weil nicht wie bei der Leistungsvermittlung Transportkanäle fester Kapazität für die gesamte Dauer der Verbindung, sondern nur für den Zeitraum der tatsächlichen Datenübertragung bereitgehalten werden müssen [26].

Anwendung	heute	zukünftig
E-Mail	> 19,2 kbit/s	64 kbit/s
Datenbankzugriff	> 64 kbit/s	1 Mbit/s
Electronic Document Interchange	> 19,2 kbit/s	20 Mbit/s
Hochauflösende Computergrafiken	1 Mbit/s	10 Mbit/s
File Transfer	1 Mbit/s	2 - 100 Mbit/s
LAN-Verbindungen	9,6/64 kbit/s	2 - 140 Mbit/s
Verteilte Verarbeitung	64 kbit/s	50 - 100 Mbit/s
Video	2 Mbit/s	150 Mbit/s

Bild 15
Vergleich unterschiedlicher Bitraten

Diese Ausführungen zeigen, daß die Realisierung von unternehmens-übergreifenden Informationslogistikketten leistungsfähige, variable Telekommunikationsinfrastrukturen voraussetzt.

3.5 Kundenorientiertes Qualitätsmanagement

In der traditionellen Massenproduktion wird Qualität im wesentlichen durch eine Vielzahl von Prüfungen und Nacharbeiten gesichert. Qualität bezieht sich dabei überwiegend auf die Produktqualität. Aus der Perspektive innovativer Unternehmen muß Produktqualität um Prozeßqualität ergänzt werden. Hier wird Qualitätssicherung nicht in die Verantwortung einer Funktionsabteilung gelegt, sondern als präventive Aufgabe gesehen und als Qualitätsverantwortung jedes einzelnen Mitarbeiters in die Prozeßorganisation integriert.

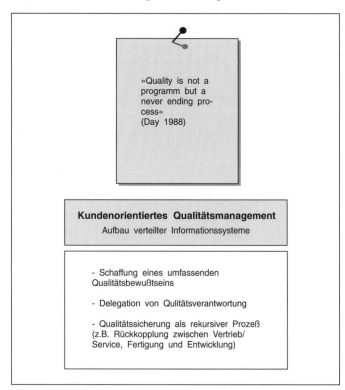

»Quality is not a programm but a never ending process«
(Day 1988)

Kundenorientiertes Qualitätsmanagement
Aufbau verteilter Informationssysteme

- Schaffung eines umfassenden Qualitätsbewußtseins

- Delegation von Qulitätsverantwortung

- Qualitätssicherung als rekursiver Prozeß (z.B. Rückkopplung zwischen Vertrieb/ Service, Fertigung und Entwicklung)

**Bild 16
Kundenorien-
tiertes Qualitäts-
management**

Effizienz entsteht so durch ein frühzeitiges Erkennen und Beheben von Fehlern bereits in frühen Phasen von Konstruktion und Entwicklung und der Reduzierung nachträglicher Änderungen. Qualitätsmanagement hat demzufolge sowohl eine personelle als auch eine organisatorische Komponente [7] [9]:

Im Unternehmen muß ein umfassendes Qualitätsbewußtsein geschaffen werden (Qualitätspolitik), das durch die Delegation der Qualitätsverantwortung an den einzelnen Mitarbeiter unterstützt wird. Zentrale Elemente dieser mitarbeiterbezogenen Qualitätspolitik sind die Aktivierung von Wissen über Produkt und Produktionsprozeß sowie deren Schwachstellen und Verbesserungsmöglichkeiten (»Der Mitarbeiter ist der Experte«). Diese Informationen dienen als Grundlage für die individuelle und kollektive Definition von Qualitätszielen und -verfahren. Wesentlicher Vorteil dieses Verständnisses von Qualitätsmanagement ist, daß dezentrale Einheiten über die Kompetenz verfügen, eigenständig Planungen durchzuführen und ohne Umwege unmittelbar umzusetzen (Qualitätszirkel).

Der Qualitätssicherungsprozeß muß rekursiv organisiert werden, d. h. Rückkoppelungen beispielsweise zwischen Vertrieb/Service und Fertigung sowie Entwicklung müssen ermöglicht werden. Diese Form des Qualitätsmanagement erfordert die Integration aller Prozeßbeteiligten, z. B. auch von Kunden und Lieferanten in die Informationslogistikkette. Voraussetzung hierfür ist beispielsweise der Aufbau von geeigneten datenbankgestützten Informations-, Dokumentations- und Berichtssystemen, die Einbindung adäquater Systeme zur Meß- und Fehlerdatenerfassung sowie -verarbeitung (interne und externe Schnittstellen), verteilte Systeme zur Verkürzung von Rückmeldeschleifen sowie rechnergestützte Lieferantenbewertungssysteme [22].

3.6 Humanzentriertes Management

Die beschriebenen Komponenten können nicht losgelöst von veränderten Personalentwicklungsstrategien diskutiert werden. Die neuen arbeitsorganisatorischen Gestaltungspotentiale basieren auf einem ganzheitlichen Zuschnitt heterogener Arbeitsinhalte zu komplexen Arbeitsprozessen und auf geänderten Kooperations- und Kommunikationsformen der einzelnen Stellen.

Dies beinhaltet eine Neuverteilung der Aufgaben und Rollen zwischen Mitarbeitern und Führungskräften. Im Sinne der umgekehrten Hierarchiepyramide [12] heißt Führung nicht Reglementierung, sondern Dienstleistung. Führung reduziert unmittelbare Steuerungs- und Kontrollaufgaben zugunsten einer mitarbeiterorientierten Personalpolitik.

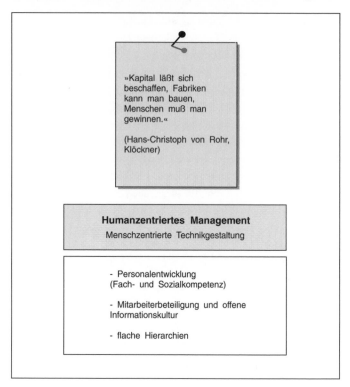

»Kapital läßt sich beschaffen, Fabriken kann man bauen, Menschen muß man gewinnen.«

(Hans-Christoph von Rohr, Klöckner)

Humanzentriertes Management
Menschzentrierte Technikgestaltung

- Personalentwicklung (Fach- und Sozialkompetenz)

- Mitarbeiterbeteiligung und offene Informationskultur

- flache Hierarchien

Bild 17
Humanzentriertes
Management

Die Verlagerung von Handlungs- und Entscheidungskompetenzen auf den einzelnen Mitarbeiter bzw. auf die Arbeitssgruppe bedeutet, daß neben technischer und fachlicher Qualifikationen vor allem eine Weiterentwicklung sozialer Qualifikationskomponenten erforderlich ist. Soziale Qualifikation (Kommunikationsfähigkeit, Sozialfähigkeit, Partizipationsbereitschaft und Teamarbeit) dient zur Bewältigung der neuartigen Kooperations- und Kommunikationsstrukturen (Bild 18).

Erst auf den zweiten Blick wird deutlich, daß die Abflachung von Hierarchien und die Delegation von Verantwortung egalitäre Zugriffs- und Nutzungsrechte für Informations- und Kommunikationssysteme bedingen. Bindung durch Vertrauen bedeutet eine Verringerung tech-

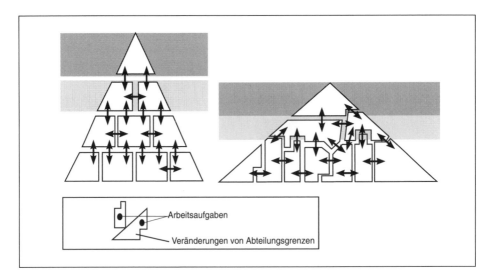

Arbeitsaufgaben

Veränderungen von Abteilungsgrenzen

nischer Kontroll- und Steuerungsinstrumente und statt dessen eine Intensivierung von (technisch gestützter) Kommunikation und (freiwilliger) Koordination. Mitarbeiter, die in ihrer täglichen Arbeit über Handlungs- und Entscheidungsfreiräume verfügen, müssen konsequenterweise auch in allen Phasen der Einführung von Informations- und Kommunikationssystemen beteiligt werden (partizipative Systemgestaltung). Vermutlich läßt sich auch darin die geringe Akzeptanz in der Vergangenheit von zentral organisierten DV-Strukturen erklären.

Erst durch diese Voraussetzung der partizipativen Systemgestaltung wird auch der oft beschriebene KAIZEN-Prozeß möglich. Kontinuierliche Verbesserungsschritte sind nur dort möglich, wo Informationen in geeigneter Weise gesammelt, verarbeitet, weitergegeben und sinnvoll umgesetzt werden. Eine Beteiligung der Mitarbeiter in jedem dieser Aufgabenbereiche und auch die tatsächliche Bereitschaft, die gemachten Vorschläge umzusetzen, ist dabei unabdingbar. Formen der Mitarbeiterbeteiligung und die Form der Einführung neuer Technologien haben wesentlichen Einfluß auf die Motivation und Akzeptanz der Mitarbeiter. Projekterfahrungen und Forschungsergebnisse zeigen, daß für die erfolgreiche Einführung von Informations- und Kommunikationstechnologien die Interessen, Fachkenntnisse, Fähigkeiten und Fertigkeiten der Anwender und Benutzer zunehmend im Mittelpunkt der Projektaktivitäten stehen.

Bild 18
Flache Hierarchien,
kurze Informations-
wege

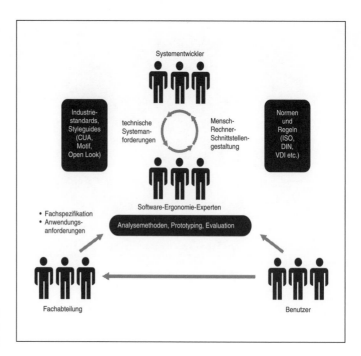

Bild 19
Benutzerorientierte
Softwaregestaltung

In diesem Zusammenhang ist es sinnvoll, daß bei der Systemgestaltung frühzeitig auf das Benutzerwissen zurückgegriffen wird. In einem Team von Benutzern, Fachspezialisten, Software-Ergonomie-Experten und Software-Entwicklern kann auf der Basis von Normen, Richtlinien und Industriestandards eine benutzerorientierte Vorgehensweise bei der Softwaregestaltung angewendet werden (Bild 19). Die Vorgehensweise beinhaltet neben der Einbeziehung von Analysedaten, Normen und Standards auch die Verwendung von Software-Werkzeugen und Dialogbausteinen.

Um besonders bei der Gestaltung graphisch interaktiver Systeme Wirtschaftlichkeit zu erreichen, ist es vielfach ratsam, daß plattformunabhängige Werkzeuge eingesetzt werden und daß eine Trennung zwischen der Benutzungsoberfläche und der jeweiligen Anwendung eingehalten wird. Damit können Entwicklungs- und Wartungskosten reduziert werden, und eine Qualitätssicherung durch modularen Software-Aufbau ist gewährleistet.

Bild 20 zeigt eine vereinfachte Darstellung einer strukturierten Vorgehensweise zur benutzerorientierter Systemgestaltung.

DATACOM • EDI

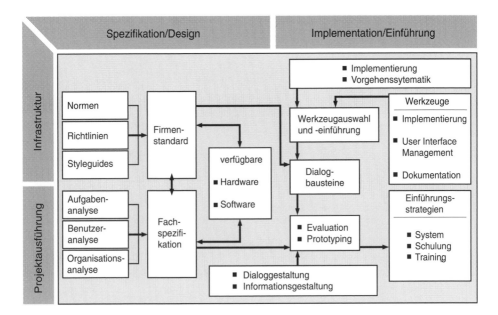

Spezifikation/Design | Implementation/Einführung

Infrastruktur

- Implementierung
- Vorgehenssytematik

Normen
Richtlinien
Styleguides

Firmen-standard

verfügbare
- Hardware
- Software

Werkzeugauswahl und -einführung

Dialog-bausteine

Werkzeuge
- Implementierung
- User Interface Management
- Dokumentation

Projektausführung

Aufgaben-analyse
Benutzer-analyse
Organisations-analyse

Fach-spezifi-kation

Evaluation
- Prototyping

Einführungs-strategien
- System
- Schulung
- Training

- Dialoggestaltung
- Informationsgestaltung

**Bild 20
Strukturierte Vor-
gehensweise zur
benutzerorientierten
Systemgestaltung**

4. Anforderungen an das Informationsmanagement

Wenn das Potential bestehender und vor allem auch neuer Informati-ons- und Kommunikationstechnik zur Schaffung von schlanken Unter-nehmungen genutzt werden soll, dann muß eine grundlegende Neu-orientierung stattfinden, bei der die heutigen Formen der Arbeitstei-lung neu überdacht werden und die Geschäftsprozeß-Orientierung und Dezentralisierung (objektorientierte Segmentierung, Center-Konzep-te, Marktorientierung) eine stärkere Bedeutung gewinnen, und prakti-zierte Partizipation in der Unternehmung nicht nur Eigeninitiative, fachliche Kompetenz und Kooperationsfähigkeit der Mitarbeiter för-dert, sondern auch einen wichtigen Beitrag für den System- und Organisations-Gestaltungsprozeß leistet.

Unter allen Bestandteilen einer Unternehmungsinfrastruktur spielen heute die Anwendungen der Informations- und Kommunikationstech-nologie eine zentrale Rolle. Keine Unternehmung kann sich der inten-siven Auseinandersetzung mit diesem Thema entziehen. Doch auch innerhalb dieser an sich schon revolutionären Entwicklung ist ein

Umbruch im Gange. Während die Datenverarbeitung im klassischen Sinne durch zentralistische Anwendung der Mainframe-Technologie geprägt war, bezeichnen heute Begriffe wie »Downsizing«, »Dezentralisierung«, »offene« und »verteilte« Systeme eine Evolution in der EDV-Welt, in der wir eine logische Fortsetzung der Entstehung schlanker Unternehmungsmodelle sehen.

Für die Einführung von neuer Informations- und Kommunikationstechnik gilt das KAIZEN-Prinzip der kleinen Schritte. Das Leitmotiv der partiellen Integration heißt demnach: »Besser direkt in die interne und externe Kopplung der Geschäftsprozesse investieren, als mit unüberschaubarem Aufwand an umfassenden Infrastrukturkonzepten laborieren« [8] [10]. Mit dem Konzept der betrieblichen Wertschöpfungskette, das durchgängige und funktionsübergreifende Informations- und Kommunikationsprozesse beschreibt, verliert die klassische Trennung in Produktion und Verwaltung weiter an Bedeutung, und die Orientierung an der Gesamtunternehmung steht im Mittelpunkt der Betrachtung. Für die Planung und Gestaltung beinhaltet dies, Aufgabenzusammenhänge und -abhängigkeiten zu betrachten. Ausgangspunkt der Organisationsgestaltung sind die Geschäftsprozesse der Unternehmung (»Kerngeschäftsorientierung«).

Dazu notwendig ist:

– Vereinheitlichung der Datenaustausch- und Übertragungsformate,
– Weiterentwicklung der Bürokommunikation zur Vorgangsunterstützung [15] [16],
– Installation von verteilten Informationssystemen [13],
– Dezentralisierung und Flexibilisierung der PPS- und Logistiksysteme [20] [27],
– Einführung von neuen Telekommunikationssystemen für die inner- und zwischenbetriebliche Kommunikation [1] und
– Betrieb von wirtschaftlichen, leistungsfähigen und zuverlässigen Netzen [7] [8] [9] [10] (Bild 21).

Die Wirtschaftlichkeit von neuen I&K-Techniken muß sichergestellt sein, damit letztendlich die Kosten in den indirekten Bereichen reduziert werden. Die Qualität der Information wird Schlüsselfaktor zur Bewertung von Organisation und Technik im Unternehmen [8] [10].

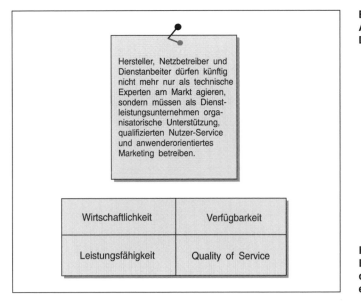

Hersteller, Netzbetreiber und Dienstanbeiter dürfen künftig nicht mehr nur als technische Experten am Markt agieren, sondern müssen als Dienstleistungsunternehmen organisatorische Unterstützung, qualifizierten Nutzer-Service und anwenderorientiertes Marketing betreiben.

Wirtschaftlichkeit	Verfügbarkeit
Leistungsfähigkeit	Quality of Service

Bild 21
Anforderungen an
Datennetze

Bild 22
Drei Qualitätsebenen
der Büroarbeit (Weltz
et al. 1989)

Ebene	Objekte	Bewertungskriterien
Materielle Ebene (Teil-) Produkte der Büroarbeit	❏ Texte ❏ Grafiken ❏ Statistiken ❏ Dateien ❏ Ablagen	❏ Zugänglichkeit und Auffindbarkeit ❏ Übersichtlichkeit und Transparenz ❏ Fehlerfreiheit ❏ Aufbereitung und Aussagefreiheit ❏ Darstellung ❏ Datensicherheit
Prozedurale Ebene Prozesse der Leistungserstellung	❏ Information ❏ Kommunikation ❏ Kooperation ❏ Abstimmung ❏ Entscheidungsvorbnereitung und -vollzug ❏ Vorgangsbearbeitung	❏ Durchlaufzeiten und Schnelligkeit ❏ Arbeitsaufwand ❏ Ergebnisaufwand ❏ Termingerechtigkeit ❏ Informationsgehalt ❏ Weiterverwendbarkeit
Finale Ebene Geschäftspolitische Zielesetzungen	❏ Reaktions- und Innovationsfähigkeit ❏ Risikoreduzierung ❏ Marktpräsenz ❏ »Wirtschaftlichkeit« ❏ Wettbewerbsfähigkeit	❏ Erreichung der (Unternehmens-) Ziele

Allerdings läßt sich die Qualität der Information nur schwer bewerten. In Anlehnung an ein Modell von Weltz, Bollinger und Ortmann können Bewertungskriterien wie in Bild 22 dargestellt ist, auf drei Ebenen identifiziert werden [29].

Bild 23
Gegenüberstellung
von deterministi-
schen und organi-
schen Lösungen

Mit den Konzepten des Lean Management ist im Bereich des Informationsmanagement eine Entwicklung von deterministischen Lösungen hin zu organischen Lösungen möglich. Eine Gegenüberstellung zeigt das Bild 23:

Deterministische Lösungen im Bereich Informationsmanagement	Organische Lösungen im Bereich Informationsmanagement
Hochintegrierte horizontale und vertikale informationelle Vernetzung	Partielle Integration von Unternehmensaktivitäten
Automatisierte Totalansätze innerhalb vorgeplanter Prozesse	Kurze Regelkreise mit Möglichkeiten zu situativen Entscheidungen
Hohe Datenqualität	Umgang mit Unschärfen und Bandbreiten
Genauigkeit	Schnelligkeit
Produktivität	Flexibilität
Geschlossene Informationskultur (Information für Experten)	Offene Informationskultur (Information für alle)
Mensch als Systembediener	Mensch als Entscheider
Expertenorientierte Gestaltung	Partizipative Gestaltung

Dieser bereichs- und funktionsübergreifende Gestaltungsansatz ermöglicht neue Formen der Zusammenarbeit, die ein innovationsfeindliches Kästchendenken verhindern und Abteilungsegoismen überwinden können.

5. Literaturverzeichnis

[1] Bialetzki, J. (1992): Entwicklungslinien der Telekommunikation – Ansatzpunkte für innovative Anwendungen in den Unternehmen

[2] Boell, H.-P. (1992): High Speed-Netze zwischen Realität und Wunschtraum. Online, H.3, 1992, S. 24 – 31

[3] Bullinger, H.-J. (Hrsg., 1992): Informationsarchitekturen als strategische Herausforderung, Baden-Baden 1992, S. 270 – 280

[4] Bullinger, H.-J. (1992a): Innovative Produktionsstrukturen – Voraussetzung für ein kundenorientiertes Produktionsmanagement, in: Warnecke, H. J. und H.-J. Bullinger (Hrsg.): Kundenorientierte Produktion, Berlin u. a. 1992, S. 9 – 34

[5] Bullinger, H.-J. (1992b): Neue Produktionsparadigmen als betriebliche Herausforderung, in: Warnecke, H. J. und H.-J. Bullinger (Hrsg.): Innovative Unternehmensstrukturen, Berlin u. a. 1992, S. 9 – 25

[6] Bullinger, H.-J.; Fröschle, H.-P.; Hofmann, J. (1992c): Multimedia. Von der Medienintegration über die Prozeßintegration zur Teamintegration. In: Office Management 6/1992, S. 6 – 13

[7] Bullinger, H.-J. (1993a): Technologiemanagement. Vorlesungsmanuskript, Universität Stuttgart, Institut für Arbeitswissenschaft und Technologiemanagement, 1993

[8] Bullinger, H.-J. (1993b): Qualität der Information – Information für Qualität. In: Seghezzi, H. D.; Hansen, J. R. (Hrsg.): Qualitätsstrategien: Anforderungen an das Management der Zukunft. München 1993. S. 73 – 93, (S. 78 – 79)

[9] Bullinger, H.-J.; Fröschle, H.-P.; Brettreich-Teichmann, W. (1993a): Informations- und Kommunikationsinfrastrukturen für innovative Unternehmen. Zeitschrift für Führung und Organisation (zfo), 4/93, S. 225 – 234

[10] Bullinger, H.-J.; Niemeier, J.; Schäfer, M. (1993b): Wege zu schlanken Informations- und Kommunikationssystemen; Management & Computer, 1. Jg., 2/93, S. 121 – 128

[11] Bundesrat (1989): Zukunftskonzept Informationstechnik. In Bundesrat Drucksache 586/89. Verlag Dr. Hans Heger, Bonn, 1989

[12] Fuchs, J. (1992): Vom Taylorismus zum Organismus – wie Unternehmen leben lernen, in: Bullinger, H.-J. (Hrsg., 1992), Informationsarchitekturen als strategische Herausforderung, Baden-Baden 1992, S. 65 – 78

[13] Klumpp, W. (1992): Verteilte Verarbeitung – ein Architekturkonzept zur Unterstützung der Unternehmensorganisation, in: Bullinger, H.-J. (Hrsg., 1992), Informationsarchitekturen als strategische Herausforderung, Baden-Baden 1992, S. 159 – 175

[14] Kluvich, H. (1992): EG Binnenmarkt. Assoziationsstrategien für den Europäischen Binnenmarkt. Ludwigsburg 1992

[15] Krcmar, H. (1992): Computerunterstützung für die Gruppenarbeit – Zum Stand der Computer Supported Cooperative Work Forschung, in: Wirtschaftsinformatik, 34, 1992, 4, S. 425 – 437

[16] Nastansky, L. (1991): Gruppenarbeit: Workgroup Computing, in: Office Management, 1991, 6, S. 6 – 13

[17] Picot, A.; Neuburger, R.; Niggl, J. (1992): Erfolgsdeterminanten von EDI: Strategie und Organisation. Office Management, H. 7 – 8, 1992, S. 50 – 54

[18] Pissot, H. (1991): Prozeßorientierte Bürokommunikation. Office Management, H. 7 – 8, 1991, S. 41 – 43

[19] Schäfer, M., Niemeier, J.; Wiedmann, G. (1992): Ein völlig neuer Ansatz muß her, in: CW Focus 1992, 3, Office-Konzepte verlassen die Isolation, S. 4 – 7

[20] Scheer, A.-W. (1992): Neue Architekturen für PPS-Systeme, in: CIM Management, 1992, 1, S. 1 – 4

[21] Schiltknecht, H. (1992): Organisationen im Wandel am Beispiel der Asea Brown Boveri Schweiz, in: Fuchs, J. (Hrsg.): Das biokybernetische Modell. Unternehmen als Organismen, Wiesbaden 1992, S. 93 – 111

[22] Schildknecht, R. (1992): Total Quality Management. Konzeption und State of the Art. Frankfurt/M u. a. 1992, (S. 160 – 162)

[23] Spence, Malcom D. (1990): A look into the 21st Century: people, business and computers. In: Information Age 2/1990, S. 91 – 99

[24] Streibich, K.-H. (1993): Wandel von der PC-Kultur zum Client-Server System Management, Computerwoche, Sept. 1993

[25] Syring, M. (1992): Möglichkeiten und Grenzen kommunikationsorientierter Systeme zur Unterstützung arbeitsteiliger Prozesse im Büro. Wirtschaftsinformatik, H. 2, 1992, S. 201 – 211

[26] Tenzer, G. (1992): Die Zukunft der Netze. Online, H. 7, 1992, S. 22 – 30

[27] Urban, G. (1992): Anforderungen an neue PPS- und Logistik-Systeme aus Sicht des zukünftigen Wettbewerbs, in: Bullinger, H.-J. (Hrsg., 1992), Informationsarchitekturen als strategische Herausforderung, Baden-Baden 1992, S. 217 – 228

[28] VDI (1993): Der Dokumentenaustausch läßt noch viele Wünsche offen, VDI-Nachrichten, 27.8.93

[29] Weltz, F.; Bollinger, H.; Ortmann, R. G. (1989): Qualitätsförderung im Büro. Konzepte und Praxisbeispiele. Frankfurt/M, New York 1989. (S. 63 – 65)

Unternehmensübergreifende Geschäftsprozeßoptimierung
– Nutzeneffekte durch synchronisierte Administration und Fertigung –

Bernd Killer

Abstract

Es ist eine längst bekannte Tatsache, daß die Potentiale zur Effizienz-steigerung in Fertigungsunternehmen in der zweiten Hälfte der 90er Jahre im wesentlichen durch die Optimierung von Informations- und Warenflüssen zu erreichen sind. Überraschend ist aber immer noch die tief verwurzelte Tool-Gläubigkeit, obwohl selbstverständlich nicht allein der Kauf eines Autos bereits die Gewähr dafür bietet, von Hannover nach München fahren zu können.

Einsatz und effiziente Nutzung von EDI setzen also zunächst eine substitutiv oder innovativ orientierte Strategie voraus. Diese ist in erster Linie über organisatorische Abläufe in Administration und Fertigung umzusetzen und erst im zweiten Schritt technisch zu realisie-ren.

Welche Faktoren bestimmen damit den (wirtschaftlichen) Erfolg einer EDI-Einführung, und wie sind diese in der Methodik des Einführungs-prozesses abzusichern ?

1. EDI als Synonym zur Nutzung elektronischer Kommunikation

Wird heute der Begriff EDI – Electronic Data Interchange – verwen-det, verbirgt sich hierunter in den meisten Fällen mehr als nur die reine elektronische Übertragung von Geschäftsdaten zwischen Unterneh-men in einem maschinenlesbaren und standardisierten Format. EDI ist heute bereits das Synonym für elektronische Informationsflüsse, die über Unternehmensgrenzen hinweg Geschäftsprozesse steuern.

Eine Neufassung oder Klärung dieses Begriffs liefert indes keine zusätzliche Erkenntnis, wohl aber die von V.S. Wheatman, Program Director – IES bei Gartner Group Inc. – geprägte weitergehende Fassung des IES: IES Inter-Enterprise Systems, including EDI, Inter-Corporate EFT, Inter-Corporate E-mail, graphics exchange, videotext.

In dieser Festlegung werden zwei weitere Aspekte für die elektronische Umsetzung von Informationsflüssen über Unternehmensgrenzen hinweg deutlich: einerseits der Systemgedanke – bisher isoliert agierende (Software-) Systeme werden virtuell zu einem Ganzen – und andererseits die Ausdehnung von zunächst alphanumerischer oder graphischer Information durch Einbeziehung aller heute verfügbarer Medien (Multimedia).

Dieser Beitrag wird sich auf die Nutzung von EDI – und hier speziell durch kleinere und mittlere Betriebe – konzentrieren. Welche Möglichkeiten des Einsatzes sind hier gegeben, wie ist gegebenenfalls EDI einzuführen, und unter welchen Gesichtspunkten kann sich überhaupt ein Einstieg in diese Technologie als wirtschaftlich erweisen ?

Das Zeitalter einer integrierten Industrielandschaft wird geprägt (werden) durch elektronische Informationsübermittlung und weitgehend direkte Kommunikation über Betriebs- und Unternehmensgrenzen hinweg.

So gesehen, gibt es keinen wirklichen Unterschied zwischen Unternehmen, der sich auf deren Größe, gemessen z. B. anhand ihres Jahresumsatzes, zurückführen ließe. Ein normaler Bestellvorgang – ganz gleich, in welchem Unternehmen – bezieht bereits aktiv externe Partner in den »eigenen« Geschäftsprozeß ein.

2. Mit EDI erreichbare Potentiale

Die mit EDI erreichbaren Potentiale liegen in einem wesentlich verbesserten Informationsfluß als Grundlage für optimierte Geld- und Warenströme. Diese Potentiale des administrativen Bereichs bewegen sich für mittelständische Unternehmen in der Regel in anderen Größenordnungen als für Großunternehmen, sind aber aus Wettbewerbsgründen besonders interessant zur optimalen Ausschöpfung.

Bereits heute liegen ca. 80 % der Einsparungspotentiale für Unternehmen im administrativen Bereich.

Auch wenn diese Zahl aus einer Analyse der Deutschen Bank nur einen Durchschnittswert über alle Unternehmen in der Bundesrepublik Deutschland darstellt, überrascht sie doch:

Die wirtschaftliche Notwendigkeit insbesondere auch für Fertigungsbetriebe zur Reorganisation der administrativen Tätigkeiten wird jedenfalls nahegelegt.

Muß damit nicht – endlich – ein Umdenken hin zu besseren organisatorischen Abläufen und deren Umsetzung erfolgen ? Und müssen damit nicht alle technischen und technologischen Register gezogen werden, um hier nachhaltig wettbewerbsfähig zu bleiben ?

Die Frage nach dem Einsatz von Kommunikationstechnologie wird rhetorisch: Deren Nutzung wird zur unternehmerischen Pflicht !

Wenn damit auch hier die Vergleichbarkeit zwischen Unternehmen unterschiedlicher Größen gegeben ist, verbleiben als Gründe für die heute noch eher vorsichtige Nutzung von EDI im Mittelstand (Ausnahme: direkte Zulieferindustrie) nur die entweder fehlenden technischen Voraussetzungen oder aber zu hohe Investitionskosten.

Verbleiben also die Fragen nach dem Wann (geeigneter Einführungszeitpunkt) und dem Wie (Vorgehensmodell).

3. Voraussetzungen für die EDI-Nutzung

Aus organisatorischer Sicht wird der früheste Zeitpunkt für die Einführung von EDI als Einstieg in die Nutzung technischer Kommunikation nach angemessener Erfüllung einer Reihe von unverzichtbaren Voraussetzungen erreicht:

– *Vollumfängliche Systemunterstützung bei der Auftragssteuerung:*
Die Geschäftsabläufe müssen bereits ohne EDI-Einsatz stabil ablaufen und sich der Möglichkeiten eines integrierten PPS-Systems bedienen. Sofern die Durchgängigkeit der Abläufe innerhalb des Unternehmens nicht zu gewährleisten wäre, könnte die Ausdehnung dieser Abläufe über Unternehmensgrenzen hinweg kaum realisierbar sein. Ferner müssen vorab Organisation der Abläufe im Unternehmen und deren Abbildung in einem PPS-System harmonisiert sein (Bild 1).

– *Dokumentierte Arbeitsweise und Organisation:*
Eine genaue Kenntnis der Ist-Abläufe ist für die Erstellung des Soll-Konzeptes insbesondere unter wirtschaftlichen Gesichtspunkten unverzichtbar. Der Einsatz elektronischer Kommunikation setzt ein Business Re-Engineering gewachsener interner und zwischenbetrieblicher Abläufe um. In einem geeigneten Sollablauf sind daher vorab alle Engpässe zu beseitigen, um so eine ganzheitliche unternehmensübergreifende Konzeption integrierter Geschäftsprozesse zu ermöglichen – erst danach erfolgt die technische Umsetzung.

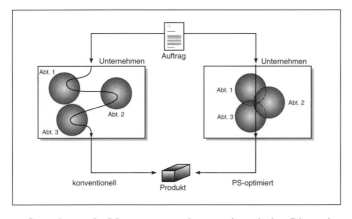

**Bild 1
Harmonisierung der
Geschäftsabläufe**

– Commitment des Management zu den organisatorischen Dimensionen von EDI.

– Direkte oder indirekte Auswirkungen auf herkömmliche Funktionsbereiche führen zu Veränderungen gewachsener Strukturen.

– Übertragung von Information zur unmittelbaren Weiterverarbeitung führt zum Entfall herkömmlicher Aufgaben.

– Sicherheits- und Rechtsfragen sind vor Einsatz einer offenen elektronische Kommunikation zu klären.

– *Strategische Unternehmensentscheidung:*
Eine Grundsatzentscheidung muß den substitutiven oder innovativen EDI-Einsatz festlegen.

Die substitutiv ausgerichtete Strategie zielt auf Verbesserung der Geschäftsabläufe hinsichtlich ihrer Effizienz. Dies wird durch eine Ökonomisierung und Beschleunigung zwischenbetrieblicher Abläufe erreicht.

Die innovative Strategie erreicht eine größere Effektivität durch Neuausrichtung der inner- und zwischenbetrieblichen Wertschöpfungsprozesse.

– *A priori-Festlegung der Einzelziele von EDI:*
Hierunter ist eine Kombination aus der Reduzierung des Administrationsaufwandes, der Reduzierung der Fehleranfälligkeit und damit der Qualitätsverbesserung, der Verkürzung des Zeitbedarfes und/oder eine Reduzierung der Kosten zu verstehen.

4. Aspekte der wirtschaftlichen EDI-Nutzung

**Bild 2
Wirtschaftlichkeit
des EDI-Einsatzes**

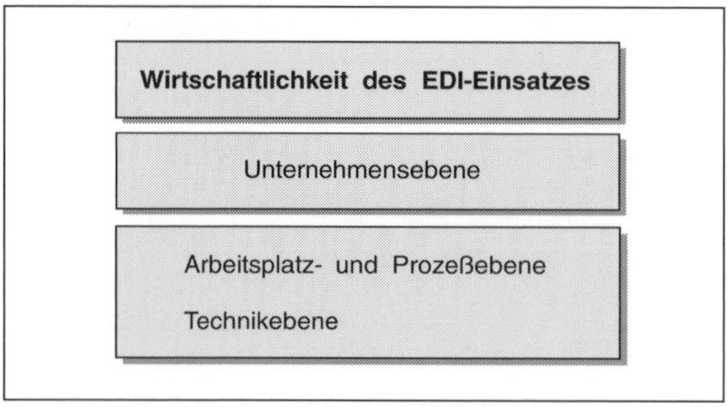

Alle Wirtschaftlichkeitsbetrachtungen zum Einsatz von Kommunikationstechnologien erfordern eine mehrschichtige Bilanzierung von Ergebnis und Mitteleinsatz.

Wirtschaftlichkeit des EDI-Einsatzes

Unternehmensebene

Arbeitsplatz- und Prozeßebene

Technikebene

Die zu betrachtenden Ebenen werden noch um eine Dimension über den Gesamtzusammenhang der beteiligten Unternehmen ergänzt. Letztere Ebene ist in der Regel nicht nur schwierig zu bewerten; sie setzt vor allem die Bereitschaft bei allen involvierten Unternehmen voraus, individuelle Vorteile auch an Partner, z. B. durch günstigere Konditionen oder Rabatte, weiterzugeben. Die Bilanzpositionen werden in jeder Ebene durch gegenwärtige und zukünftige, monetäre und nicht-monetäre, direkte und indirekte Leistungskonsequenzen gebildet. Hierzu sind zuvor aber nachfolgende Problematiken zu überwinden:

– *Maßgrößenproblematik:*
Messung /Bewertung von Kosten und Leistungen,

– *Zurechnungsproblematik:*
zeitliche Verzögerung und räumliche Verteilung der Kosten und Leistungen,

– *Situationsproblematik:*
vordringlicher Bedarf an Aufgabentypen,

– *Verbundproblematik:*
Nutzen aus Verbund statt Stand-alone-Nutzen,

– *Innovationsproblematik:*
Substitution und/oder Generierung.

Eine in die Zukunft gerichtete Wirtschaftlichkeit wird zunehmend auch mittelständische Unternehmen zur Lösung vorgenannter Grundproblematiken zwingen.

5. Vorgehensmodell zur Einführung von EDI

Die Umsetzung von Unternehmensstrategien erfolgt mit einem ganzheitlich orientiertem Vorgehen mit dem Ziel einer (!) virtuellen Fertigungslandschaft. Die Einbeziehung von Lieferanten in Bild 3 zeigt, wie der Gesamtprozeß über Unternehmensgrenzen hinweg im Sinne von zusammenwirkenden Bereichen – hier am Beispiel des Einkaufs – einheitlich geschaffen wird.

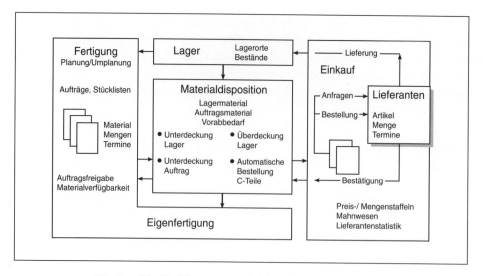

Bild 3
Virtuelle Ferti-
gungslandschaft

Die Einführung von EDI ist ein ganzheitlicher Prozeß einer neuen Dimension. Gerade weil – wie bereits mehrfach verdeutlicht – immer mehrere Unternehmen mit verschiedenen und unabhängigen Entscheidungsstrukturen und -organen vor Einführung und Nutzung von EDI hierüber Konsens erzielen müssen, ist der EDI-Einsatz bisher entweder straff organisierten und von großen Nachfragern dominierten Zulieferkreisen oder aber Produktionsverbänden vorbehalten.

Mit dem PSsystem, dem Produktionsplanungs- und -steuerungssystem der PS Systemtechnik GmbH in Bremen, konnte nun erstmals in Zusammenarbeit mit der Firma Actis und deren EDI-Händler eine interessante und wirtschaftlich attraktive Einstiegsmöglichkeit in EDI für mittelständische Unternehmen aufgezeigt und – für Teilbereiche realisiert – vorgestellt werden.

Diese Lösung sieht den gleitenden und flexiblen Einstieg in die EDI-Nutzung vor.

Durch die parallele Verfügbarkeit der Ausgabe von Bestellungen aus dem PSsystem entweder in Papierform (z. B. auch als Telefax) oder aber via EDI direkt an den Lieferanten können mit einem System Lieferarten mit und ohne EDI-Anschluß einbezogen werden. Die virtuelle EDI-Fertigungslandschaft kann damit langsam wachsen; ein zyklischer Evolutionsprozeß steigert kontinuierlich den Nutzen. Lieferanten können sich z. B. erst nach und nach für den EDI-Einsatz

DATACOM • EDI

entscheiden, deren EDI-Anschluß ist keine Voraussetzung, kann aber durch günstigere Einkaufskonditionen attraktiver gemacht werden.

Ebenso können die Abteilungen Step by Step auf EDI umsteigen. Durch Einsatz des EDI-Händlers werden zudem verschiedene Protokolle (wie z. B. Odette, Edifact etc.) auf Sender- und Empfängerseite unterstützt. Die Konvertierung erfolgt automatisch.

Erstmalig steht damit durch Nutzung der Technik diese nicht mehr im Vordergrund; sie bleibt Mittel zum Zweck und nicht Selbstzweck.

Systematische Geschäftsprozeß- analysen (SYCAT) als Voraus- setzung für den Einsatz von Electronic Data Interchange (EDI)

Hartmut Binner

Der Erfolg der Umsetzung unternehmerischer Strategie zur Verbesserung der Wettbewerbsfähigkeit hängt in entscheidendem Maße vom Informationsvorsprung über Marktentwicklungen, Ressourcen, Verfügbarkeiten und Randbedingungen beim Ressourceneinsatz sowie dem raschen und aktuellen Informationsaustausch mit Kunden, Lieferanten und sonstigen Geschäftspartnern ab. Eine qualifizierte Wissens- und Informationsbereitstellung ist damit ein entscheidendes Strategieinstrument geworden, mit dem das Unternehmen einen Informationsvorsprung erhält bzw. sogar ausbauen kann. Diese Wissensbereitstellung beinhaltet die Integration, den Austausch, die Bereitstellung, den Zugang und die Nutzung von Wissen. Um die Kosten-, Zeitoder Qualitätsführerschaft zu erhalten, reicht es aber nicht mehr aus, unternehmensintern dieses Wissen aufzubauen und zu pflegen. Auch die Kunden, besonders aber die Lieferanten, müssen in partnerschaftlicher Art und Weise mit eingebunden werden, um die eigenen Entwicklungs- und Produktherstellungsprozesse zu unterstützen. Die Prozeßorientierung bzw. die informationelle Prozeßabstimmung ist bei dieser Einbindung zwischen den beiden Partnern der Gegenstand der Betrachtung, gar nicht so sehr das dabei hergestellte Produkt.

Das Ausschöpfen der vorhandenen Rationalisierungspotentiale in der Kommunikation zwischen den Marktpartnern wird durch den elektronischen Austausch maschinell lesbarer Daten auf der Basis internationaler Normen möglich. Das Hauptproblem im unternehmensübergreifenden Datenaustausch sind die Schnittstellen und Verknüpfungen verschiedener Hard- und Softwareinstallationen.

Die betriebswirtschaftliche Lösung liegt hier in der Erarbeitung standardisierter bzw. genormter Schnittstellen und Protokolle bei der Datenkommunikation. Auch bei EDIFACT (Electronic Data Interchange for Administration, Commerce and Transport) handelt es sich um eine internationale Normung zum multilateralen elektronischen Datenaustausch für Verwaltung, Industrie, Handel und Transport. Das Ziel von EDIFACT besteht in der Vereinfachung des unternehmens- übergreifenden Datenaustausches zwischen einer beliebigen Zahl von Partnern auf der Sender- und Empfängerseite. Dabei kann jeder Partner sowohl Sender als auch Empfänger sein mit jeweils einer möglicher- weise unterschiedlichen Menge von Partnern.

Gegenstand der genormten Datenübertragung sind jeweils Übertra- gungsdateien und deren Strukturen [2] wobei diese Übertragungsdatei eingebettet ist in eine bestehende Verbindung gemäß dem OSI-Refe- renzmodell [3]. Die Übertragungsdatei ist eine Zusammenfassung von einzelnen Nachrichten oder Nachrichtengruppen eines Absenders für einen Empfänger oder eines Absenders zur Verteilung an mehrere Empfänger. EDIFACT ist als ein strategisches Konzept anzusehen, das mit allen internen und externen Kommunikationspartnern abgestimmt wird, weil durch die unternehmensübergreifende Kooperation die Gesamtabläufe gemeinsam zum Nutzen aller Beteiligten optimiert werden sollen.

Die in Bild 1 ausgeführten Thesen unterstützen obige Aussagen. Nach These 1 ist die Wettbewerbsfähigkeit am Markt nicht durch das angebotene Produkt gesichert, weil die Produktinnovationen von der Konkurrenz imitiert werden. Vielmehr wird nach These 2 die Wettbe- werbsfähigkeit am Markt über das spezifische Produkt-Erstellungs- Know-how durchgesetzt.

Begründet ist dies in der Minimierung bzw. Optimierung des Auftrags- abwicklungsprozesses aufgrund jahrzehntelanger Erfahrung, wobei sich im Regelfall das Wissen über diese optimalen Abläufe in den Köpfen der Mitarbeiter befindet und nicht irgendwo strukturiert hin- terlegt ist. Bei Weggang oder Ausscheiden dieser Person tritt häufig ein Wissensverlust ein.

Folglich erhalten Informations- und Kommunikationssysteme als Ver- walter und Verteiler dieses Wissens einen sehr hohen Stellenwert zur Sicherung der Wettbewerbsfähigkeit im Unternehmen. Effektivität und Qualität der Informationsbereitstellung und -verarbeitung inner- halb eines unternehmensübergreifenden Kommunikationssystems sind die Zielgrößen, an denen die Zielerreichung bei Installation derartiger Systeme gemessen wird.

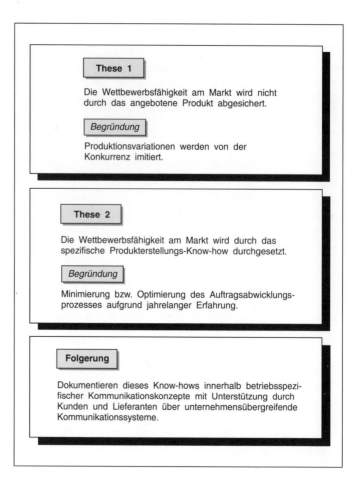

**Bild 1
Thesen zur Wett-
bewerbsfähigkeit**

These 1

Die Wettbewerbsfähigkeit am Markt wird nicht durch das angebotene Produkt abgesichert.

Begründung

Produktionsvariationen werden von der Konkurrenz imitiert.

These 2

Die Wettbewerbsfähigkeit am Markt wird durch das spezifische Produkterstellungs-Know-how durchgesetzt.

Begründung

Minimierung bzw. Optimierung des Auftragsabwicklungsprozesses aufgrund jahrelanger Erfahrung.

Folgerung

Dokumentieren dieses Know-hows innerhalb betriebsspezifischer Kommunikationskonzepte mit Unterstützung durch Kunden und Lieferanten über unternehmensübergreifende Kommunikationssysteme.

Innerhalb des Unternehmens muß der Produktionsfaktor »Information« für die Produktivität und Flexibilität der dort eingesetzten übrigen Produktionsfaktoren Mensch/Maschine/Material sorgen, gleichzeitig aber auch den Zulieferer so optimal mit einbinden, daß eine optimale Nutzung bzw. Kombination seiner Ressourcen ebenfalls möglich wird. Zeit- und Kostensparungen basieren z. B. darauf, daß der Zulieferer termingetreu und qualitätsgerecht seine Komponenten bereitstellt, so daß im eigenen Unternehmen ohne zusätzlichen Aufwand die Weiterverarbeitung gesichert ist. Wie Bild 2 zeigt, gibt es hier eine ganze Anzahl von Partnerschaftskomponenten im Zuliefererkonzept, die untereinander geklärt sein müssen, damit die Wertschöpfungsprozesse zwischen Abnehmer und Zulieferer diesen Anforderungen entsprechen.

Erfahrungsgemäß gibt es bei der Einführung und Auswahl der benötigten Kommunikationssysteme allerdings interne und externe Probleme, weil eine anforderungsgerechte EDV-Werkzeugauswahl wegen der technischen, organisatorischen und zeitlichen Komplexität nur mit erheblichem finanziellen und personellen Aufwand durchgeführt werden kann.

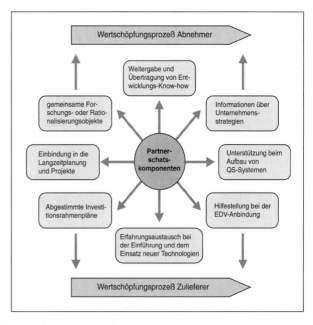

Bild 3 zeigt das gesamte Spektrum der zwischen Zulieferer und Abnehmer auszutauschenden Informationen und Daten innerhalb eines durchgängigen Auftragsabwicklungsprozesses. Dies beginnt mit den Entwicklungsdaten im Bereich der Entwicklungslogistik, um beispielsweise mit Hilfe von Simultaneous Engineering die Entwicklungszeiten dadurch zu verkürzen, daß der Zulieferer eigenständig Teilkomponenten entwickelt. Der Einkauf im Unternehmen wird dann die Rahmenvereinbarungen für die später zu erfolgenden Teilabrufe beim Lieferanten zusteuern. Bestelldaten, Abrufdaten und Lieferdaten bauen aufeinander auf. Auch die Abrechnungsdaten werden so ausgetauscht, daß keiner der Beteiligten die Informationen noch einmal aufbereiten oder in eine bestimmte Form bringen muß, um sie intern sofort weiterzuverarbeiten.

Bild 2
**Partnerschafts-
komponenten im
Zuliefererkonzept**

Allerdings ist vor diesem automatisierten Datenaustausch zwischen Zulieferer und Abnehmer und der elektronischen Verarbeitung der ausgetauschten Dokumente ohne Medienbrüche von allen Beteiligten sehr viel organisatorische Vorarbeit zu leisten, weil die durch EDI ausgelösten und gesteuerten Abläufe nur dann funktionieren, wenn vorher eine detaillierte Abstimmung erfolgt ist. Abzuklären sind beispielsweise:

- Qualitätssicherungsvereinbarungen,
- Lieferkonditionen,

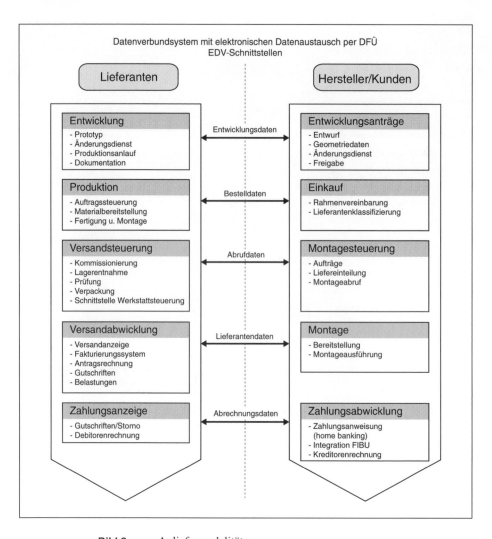

Datenverbundsystem mit elektronischen Datenaustausch per DFÜ
EDV-Schnittstellen

Lieferanten   **Hersteller/Kunden**

Entwicklung   Entwicklungsdaten   **Entwicklungsanträge**
- Prototyp   - Entwurf
- Änderungsdienst   - Geometriedaten
- Produktionsanlauf   - Änderungsdienst
- Dokumentation   - Freigabe

Produktion   Bestelldaten   **Einkauf**
- Auftragssteuerung   - Rahmenvereinbarung
- Materialbereitstellung   - Lieferantenklassifizierung
- Fertigung u. Montage

Versandsteuerung   Abrufdaten   **Montagesteuerung**
- Kommissionierung   - Aufträge
- Lagerentnahme   - Liefereinteilung
- Prüfung   - Montageabruf
- Verpackung
- Schnittstelle Werkstattsteuerung

Versandabwicklung   Lieferantendaten   **Montage**
- Versandanzeige   - Bereitstellung
- Fakturierungssystem   - Montageausführung
- Antragsrechnung
- Gutschriften
- Belastungen

Zahlungsanzeige   Abrechnungsdaten   **Zahlungsabwicklung**
- Gutschriften/Storno   - Zahlungsanweisung
- Debitorenrechnung   (home banking)
                                                        - Integration FIBU
                                                        - Kreditorenrechnung

Bild 3
Unternehmensüber-
greifender Datenaus-
tausch der Just-in-
time-Redaktion

– Anliefermodalitäten,

– Lieferfrequenzen,

– Preisfestsetzungsintervalle,

– Peisanpassungsmöglichkeiten,

– Mengenänderungsspielräume,

– Transportmittelvorgaben,

– Abrechnungsmodalitäten.

Vor der elektronischen Kopplung steht also die organisatorische Verknüpfung zweier völlig unterschiedlicher Wertschöpfungsprozesse.

Bild 4 macht diese Problemstellung bezogen auf das Datenmanagement unter dem Oberbegriff »Concurrent Engineering« noch einmal deutlich. Unter Concurrent Engineering wird die Gestaltung von Geschäftsprozessen in Form einer engen Zusammenarbeit zwischen den Partnern verstanden.

Hierunter fallen beispielsweise auch integrierte Entwicklungsprozesse zwischen Zulieferer und Abnehmer. Die dabei benötigten Daten, die ausgetauscht werden, sind ebenfalls in Bild 4 genannt.

**Bild 4
Concurrent
Engineering**

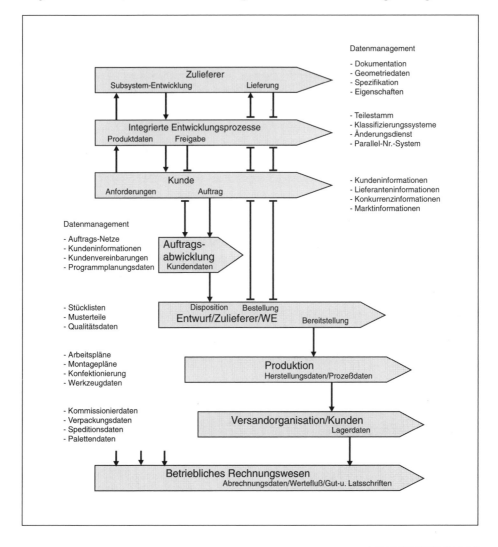

Nach der Entwicklungsphase, die von den Kundenanforderungen ausgelöst wurden, beginnt die Auftragsabwicklung, indem dieser Kunde an das Unternehmen einen Auftrag erteilt. Die Disposition wiederum löst eine Bestellung beim Zulieferer aus, der bei der Entwicklung mit beteiligt war. Die Komponenten des Zulieferers werden im Wareneingang angeliefert und dann für die Produktion bereitgestellt. Nach der Produktherstellung erfolgt die Versandorganisation, damit dieser Kunde sein Produkt termingetreu und qualitätsgerecht erhält. Das betriebliche Rechnungswesen begleitet den gesamten Wertefluß und dokumentiert ihn anhand der eingehenden Daten.

Der strategische Weg, also die globale Vorgehensweise zur Verwirklichung der unternehmerischen Zielsetzungen durch Einführung von modernen Informations- und Kommunikationstechnologien muß über die Erstellung betriebsspezifischer Kommunikations-, CIM und Logistik-Konzepte erfolgen. Nach den negativen Erfahrungen der letzten Jahre bei Einführung derartiger Konzepte ist klar, daß nicht die technische Realisierbarkeit im Vordergrund steht, sondern vor allen Dingen die Mitarbeiter bei der Planung und Erarbeitung der Konzepte mit einzubinden sind, um über die vorher stattgefundene Optimierung der organisatorischen Abläufe die Basis für eine reibungslose System-Installation zu legen.

Im folgenden wird eine rechnergestützte Planungssystematik innerhalb eines ganzheitlichen Unternehmensmodells – hier als »CIM House-Modell« bezeichnet – vorgestellt, die eine ganzheitliche Gestaltung und Planung solcher betriebsspezifischer Kommunikations-, CIM- und Logistik-Systeme zum Inhalt hat.

Die Belange der Mitarbeiter und die Schaffung der organisatorischen Voraussetzung ist in diesem Modell vollständig berücksichtigt.

Das CIM House-Modell ist, wie Bild 5 zeigt, in drei Stockwerke = Ebenen unterteilt, die ausgehend vom Erdgeschoß als Sockel innerhalb der Gesamtarchitektur bis hin zum Dachgeschoß eine durchgängige Gestaltungsmethodik besitzen, die gleichzeitig als Einführungsreihenfolge bei Realisierung von Kommunikations- oder CIM-Systemen mit anzusehen ist.

Die Ebene 1 umfaßt die Analyse der Betriebsorganisation unterteilt in Ablauf und Aufbauorganisation. In Ebene 2 sind die Daten und

Informationen für die in Ebene 1 ablaufenden Aktivitäten und Prozesse beschrieben.

Ebene 3 beinhaltet die technologische EDV-Auswahl, also die Zuordnung der EDV-Werkzeuge zu den zu verarbeitenden Daten in Ebene 2 bzw. zu den funktionalen Abläufen in Ebene 1. Ebene 1 bis 3 bezieht

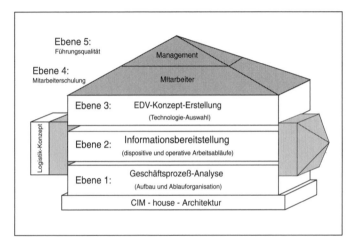

Bild 5
CIM House-Modell

sich somit auf die Planung und Gestaltung des Kommunikations-, CIM- und Logistikkonzeptes und die ebenfalls in Bild 3 dargestellten Ebenen 4 und 5 auf die Umsetzung durch die Mitarbeiter und Führungskräfte im Unternehmen.

Der Aufbau des CIM-House-Modells orientiert sich an dem in der Literatur ausführlich beschriebenen CIM-OSA-Konzept. Unter der Bezeichnung CIM-OSA-Konzept (offene CIM-System-Architektur) wurde eine Initiative aus 21 europäischen Industrieunternehmen, Softwarehäusern und Forschungsinstituten im Rahmen des Esprit-Förderungsprogrammes mit dem Ziel der Erstellung von CIM-Referenz-Architekturen gebildet. Die Planung, Implementierung, Anpassung und Weiterentwicklung von CIM-Systemen soll dabei innerhalb eines ganzheitlichen Unternehmensmodells unter Einsatz einer ordnenden Systematik erfolgen [4].

Wie Bild 6 zeigt, besteht dieses CIM-OSA-Konzept ebenfalls aus drei Schichten bzw. Ebenen, die hier als Architekturplanungsbasis bezeichnet werden.

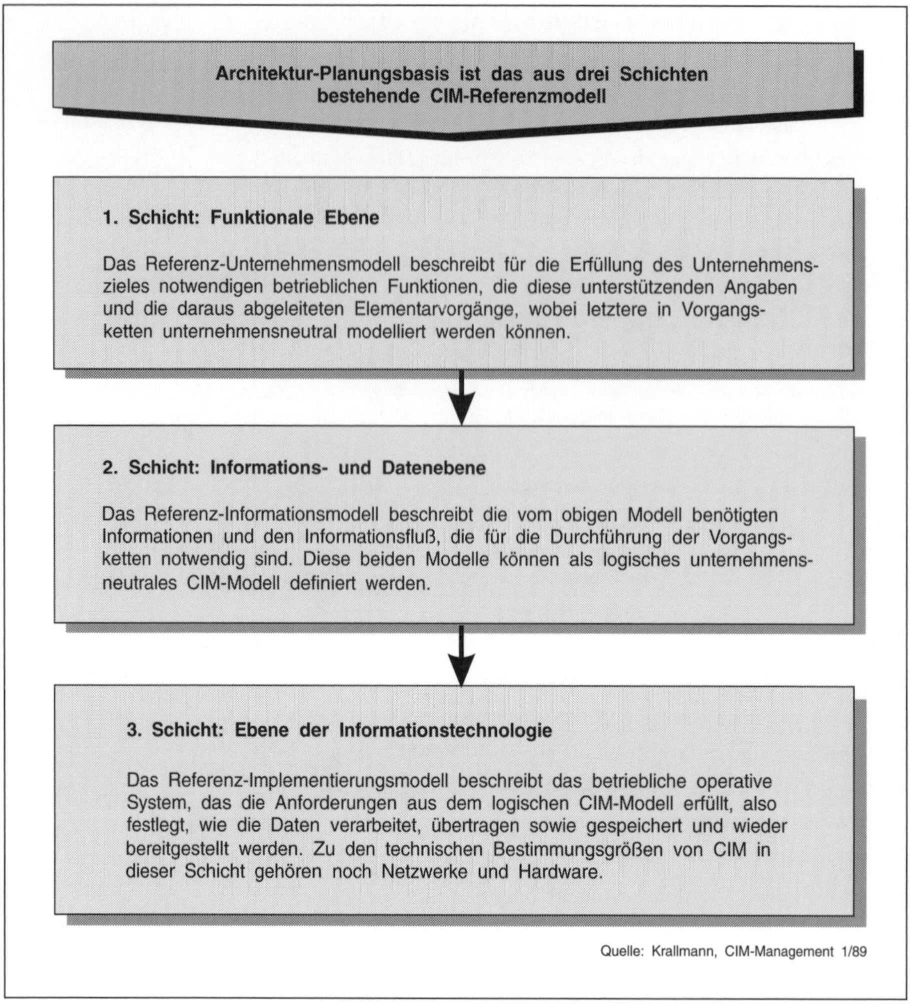
Architektur-Planungsbasis ist das aus drei Schichten bestehende CIM-Referenzmodell
1. Schicht: Funktionale Ebene
Das Referenz-Unternehmensmodell beschreibt für die Erfüllung des Unternehmenszieles notwendigen betrieblichen Funktionen, die diese unterstützenden Angaben und die daraus abgeleiteten Elementarvorgänge, wobei letztere in Vorgangsketten unternehmensneutral modelliert werden können.
2. Schicht: Informations- und Datenebene
Das Referenz-Informationsmodell beschreibt die vom obigen Modell benötigten Informationen und den Informationsfluß, die für die Durchführung der Vorgangsketten notwendig sind. Diese beiden Modelle können als logisches unternehmensneutrales CIM-Modell definiert werden.
3. Schicht: Ebene der Informationstechnologie
Das Referenz-Implementierungsmodell beschreibt das betriebliche operative System, das die Anforderungen aus dem logischen CIM-Modell erfüllt, also festlegt, wie die Daten verarbeitet, übertragen sowie gespeichert und wieder bereitgestellt werden. Zu den technischen Bestimmungsgrößen von CIM in dieser Schicht gehören noch Netzwerke und Hardware.
Quelle: Krallmann, CIM-Management 1/89

Bild 6
CIM-OSA-Konzept

In Analogie zum CIM-House-Modell bezieht sich die erste Schicht auf die funktionale Ebene mit der Beschreibung des Referenz-Unternehmensmodells und allen notwendigen betrieblichen Funktionen. In der zweiten Schicht, der Informations- und Datenebene, beschreibt das Referenz-Informationsmodell die vom obigen Modell benötigten Informationen und den Informationsfluß. Die dritte Schicht ist dann die Ebene der Informationstechnologie.

Das dazugehörende Referenz-Implementierungsmodell beschreibt das betriebliche operative System, das die Anforderungen aus dem logischen CIM-Modell erfüllt, also festlegt, wie die Daten verarbeitet, übertragen sowie gespeichert und wieder bereitgestellt werden. Zu den technischen Bestimmungsgrößen von CIM in dieser Schicht gehören noch Netzwerke und Hardware.

Für die Ebenen 1 bis 3 dieses CIM-OSA-Konzeptes, hier als CIM-House-Modell modifiziert, sind rechnerunterstützte »systematische CIM-Analyse-Tools« (SYCAT) entwickelt, die dem Anwender eine Hilfestellung bei der Formulierung seines betriebsspezifischen Kommunikations-Systems bieten.

Durch die systematische Analyse von Geschäftsprozessen mit Offenlegung der funktionalen Schnittstellen werden so die Voraussetzungen geschaffen, reibungslose Abläufe zwischen den Partnern zu organisieren, um die bereits angesprochenen Rationalisierungspotentiale auszuschöpfen.

In Bild 7 sind die Komponenten der Geschäftsprozeßanalyse und ihre Verknüpfung innerhalb der drei Ebenen noch einmal dargestellt.

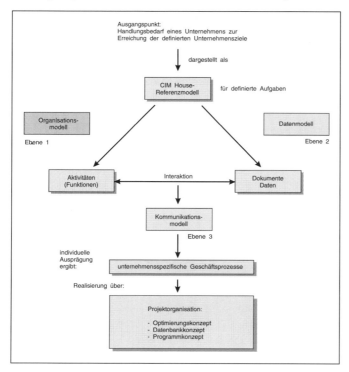

**Bild 7
Komponenten der Geschäftsprozeß-analyse nach dem CIM-House-Modell**

Die erste Ebene von »SYCAT« bezieht sich auf die funktionale Ebene bzw. das funktionale Referenzunternehmensmodell. Es umfaßt die Beschreibung der zur Erfüllung der Unternehmensziele notwendigen betrieblichen Aufgaben in den verschiedenen Funktionsbereichen in Form von Prozeßketten unter Berücksichtigung der spezifischen betrieblichen Organisationsstrukturen und den dazu eingesetzten EDV-Systemen.

Die zweite Ebene beinhaltet die Informationsebene bzw. das Referenz-Informationsmodell. Hier werden alle vom funktionalen als Hauptblock 1 bekannten Unternehmensmodell benötigten Informationen für die Durchführung der Prozeßketten abgebildet. Dazu gehören auch die Darstellung des Datenmengengerüstes und des Programm-Modells, mit denen diese Daten gespeichert, verarbeitet und abgerufen werden.

Als dritte Ebene schließt sich das Kommunikations-Modell mit der Anwendungs- bzw. Informations-Technologieebene an. Hier wird die auszuwählende Technologie bei der Informationsverarbeitung, also die Hardware in Verbindung mit Netzwerken und Datenbankeinsatz beschrieben, wobei alle zur Verfügung gestellten Tools herstellerunabhängig, d. h. allgemein verwendbar sind.

Die so gebildete Kommunikations- und CIM-Architektur ist auch als Basis für die Hardwarehersteller geeignet, integrationsfähige Komponenten mit eigenen Schnittstellen zu offenen Systemen zu schaffen, um so den Implementierungsaufwand für die sehr detailliert beschriebenen Soll-Geschäftsprozesse auf ein vertretbares Maß zu reduzieren. Auch die Fähigkeit zu raschen Systemänderungen und die Anpassung an neue Gegebenheiten wird damit abgedeckt.

Es schließt sich die Projektorganisation für die Durchsetzung dieses Optimierungskonzeptes an. Falls nötig, muß auch noch das Datenbankkonzept und das Programmkonzept dazu entwickelt werden.

Die an diese Strukturen angepaßte datenbankorientierte SYCAT-Geschäftsprozeßanalyse-Software läuft auf zwei Plattformen, einmal unter MS-DOS und unter UNIX. Ein SYCAT-Prototyp wurde auf dem Hochschulstand des Kommunalverbandes Großraums Hannover während der CeBIT-Messe 1994 in Hannover vorgestellt.

Die einzelnen Module sind in mehreren EDV- und CIM-Projekten praxisnah getestet worden und haben dabei ihre Eignung unter Beweis gestellt.

Bei dieser rechnerunterstützten Geschäftsprozeßketten-Analyse als Oberbegriff für alle weiteren Analysen geht es darum, dynamisch ablaufende Bürokommunikationsprozesse, die auf mehrere Arbeitsplätze bzw. Funktionsbereiche verteilt sind, unter dem Integrationsaspekt, d. h. funktionsübergreifend im Ist- und Sollzustand abzubilden.

Bild 8 zeigt modellhaft eine solche durchgängige Prozeßkette in einem Unternehmen, ausgelöst über eine definierte Aufgabenstellung, beispielsweise die Bestellabwicklung im Einkauf mit Wareneingang.

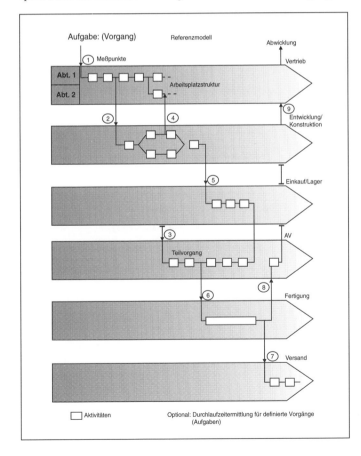

**Bild 8
Durchgängige
Prozeßketten in
Unternehmen**

Es müssen die dafür notwendigen Informationen durch alle Abteilungen laufen, um dort die erforderlichen Aktivitäten für eine wirtschaftliche Bestellabwicklung anzustoßen. Die Prozeßkette ist deshalb, wie es Bild 9 zeigt, hinsichtlich der systematischen:

- Organisationsablaufzuordnung,
- Bereichszuordnung,
- Funktionszuordnung,
- Verantwortlichkeitszuordnung,
- Mitarbeiterzuordnung,
- Dokumentenzuordnung,
- Kostentreiberzuordnung,

rechnergestützt zu analysieren (Ist-Zustand) und anschließend zu modellieren (Soll-Zustand). Im einzelnen ist zu den einzelnen Modulen folgendes auszuführen:

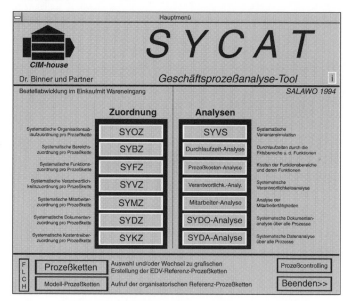

Bild 9

Systematische Organisations- und Bereichszuordnung und -analyse

Bei der Organisations-Ablaufzuordnung werden nach dem vorhandenen Organigramm die Bereiche mit den zuständigen Leitern abgebildet. Weiter werden die Bereiche und die Kostenstellen hinterlegt, wobei den Kostenstellen wiederum die dort beschäftigten Mitarbeiter zugeordnet sind. Gleichzeitig können hier Zielvereinbarungen für den definierten Geschäftsprozeß mit vorgegeben werden. Diese Zielvereinbarungen beziehen sich auf Zeit- und Kostenwerte und dienen später zum Projektcontrolling.

Systematische Funktionszuordnung und -analyse

Die Funktionsanalyse dient zur Bestimmung der Aufgaben, Teilaufgaben und Arbeitsplätze mit dem dazugehörenden Mengengerüst in dem untersuchten Bereich.

Aus der Funktionsanalyse erhält man eine klare Vorstellung über die derzeitige Verteilung der Aufgaben mit Zuordnung der Kompetenzen mit Verantwortlichkeiten.

Systematische Aufgabenzuordnung und -analyse pro Mitarbeiter

Bei der Aufgabenanalyse pro Mitarbeiter geht es darum, festzustellen, welches Aufgaben- und Tätigkeitsspektrum von dem betroffenen Mitarbeiter innerhalb des Analysebereichs ausgeführt wird. Über eine ABC-Tätigkeitsanalyse lassen sich dann seine Hauptaufgaben lokalisieren. Bei der Entwicklung des Sollkonzeptes sollte man sich dann auf diese Hauptaufgaben konzentrieren. Gleichzeitig ist festzustellen, ob der derzeitige Aufgabenumfang wirtschaftlich sinnvoll und zweckmäßig ist. Eventuell müssen Aufgaben verlagert oder Teilaufgaben von anderen Arbeitsplätzen mit integriert werden.

Wesentlich ist, daß das Ergebnis dieser Funktions- und Aufgabenanalyse ausgedrückt in funktionalen Beschreibungen, Zuordnung der zeitlichen Reihenfolge, Zuordnung der Funktionsträger sowie der lokalisierten Schwachstellen im Informationsfluß bei der Dokumenten- und Datenbearbeitung so klar herausgearbeitet ist, daß sich ein Bürokommunikations-Sollkonzept anschließen kann.

Systematische Dokumentenzuordnung und -analyse

Die verwendeten Dokumente bzw. die Daten, die sich in diesen Dokumenten befinden, lassen sich systematisch in Matrizenform abbilden, wie es Bild 10 zeigt. Den einzelnen Funktionen bzw. Abteilungen sind die Datenträger oder Dokumente zugeordnet. Über definierte Schlüssel sind die Datenarten, Dokumentenarten, Funktionsbereiche, der Datenträgerverlauf und die Erarbeitungsart pro Datum bereits exakt hinterlegt. Der Informationsfluß innerhalb eines bestimmten Bereiches ist damit eindeutig beschrieben.

3. Systematische Kostentreiberzuordnung und -analyse

Zusammen mit der mitarbeiterbezogenen Aufgabenanalyse können für die einzelnen erfaßten Teilaktivitäten gleichzeitig die Durchlaufzeiten und Tätigkeitszeiten mit erfaßt werden. Bei der später folgenden Prozeßketten-Modellierung ist damit ein Bezugsmaß für Potentialbetrachtungen gefunden, mit dem man die Wirksamkeit der vorgeschlagenen Änderungsabläufe überprüfen kann. Außerdem ist für alle Beteiligten, d. h. Führungspersonal und Mitarbeiter, die Erfassung der gesamten Durchlaufzeit für eine bestimmte Ausgabenausführung sehr informativ; in der Regel liegen hier in der Praxis wenig Erfahrungswerte vor.

Kostentreiberanalysen sind sinnvoll, um in dispositiven oder indirekten Unternehmensbereichen prozeß- oder teilprozeßorientiert Gemeinkosten zu erfassen. Die Bezugsgrößen sind jetzt nicht mehr die hergestellte Einheit pro Stück, sondern Kostentreiberkennzahlen, die für den jeweiligen Funktionsbereich angeben, wie hoch die Kosten pro Teilprozeßausführung sind.

Im Funktionsbereich Auftragsbearbeitung sind es die Kosten des Kundenauftrages; im Einkauf wird festgestellt, wie teuer eine Bestellung ist. Im Fertigwarenlager gehören dazu die Kosten je Auslagerung oder bei der Versandabwicklung sind es die Kosten je Sendung. Beim Personalwesen wären dies z. B. die Kosten je Einstellung eines neuen Mitarbeiters.

Für die Erfassung der Prozeßkosten wurde ein (speziell dafür entwickeltes) Prozeßkosten-Erfassungsblatt entwickelt, in dem, unterschie-

DATACOM • EDI

Nr.	Datenträger (Dokumente)	AWT II	Einkauf	Fenstertechnik	Mischerei	Produktion FP	Produktion TP	Produktion Werk II	Technik TP	Verkauf FP	Verkauf TP	Verkauf Werk II	Versand FP/TP	Versand/Werk II	Werkzeugbau	Ummantelungsanlage	SYDA-Nrn.
073	Kalibrierungen														•		253
074	Konfektionierungs-Begleitkarte														•		272
075	Kontrollblatt Ummantelungsan.														•		273
076	Lieferscheinbuch	•															23
077	Leistung der Betriebswerkstatt				•												76
078	Lagerzugangsbeleg									•							137
079	Lieferschein									•	•	•	•	•			134/172/207/227/239
080	Lieferschein f. Selbstabholer									•				•			139/228
081	Lieferschein f. Ausfallmuster										•	•		•			175/208/240
082	Musterbefund TP	•							•							•	2/116/257
083	Mahnung		•														24
084	Mat/-Anlagerechnung		•														25
085	Musterbefund			•		•			•							•	39/77/140/256
086	Maschinenbelegungsplan				•		•										54/108
087	Memozettel				•												55
088	Mischkarte TP				•		•	•	•								56/91/109/115
089	Mischerprotokoll 2				•												57
090	Mischerprotokoll 3				•												58
091	Mischauftrag				•												59
092	Mischrezept				•												60
093	Mängelbericht					•											89
094	Memo Ist-Zustand					•											90
095	Musterbefund					•											92
096	Material u. Fremdleistungsbeleg														•		254
097	Materialabschreibung														•		255
098	Neues Profil			•						•					•		40/141/259
099	Nachkalkulation											•			•		176/258
100	Profilzeichnung mit Genver.	•							•								3/119
101	Preisinformation		•														26
102	Profilzeichnung FP			•													41
103	Produktionsplan FP					•	•			•			•		•		61/78/142/229/260
104	Produktionsplan FP					•	•	•		•	•	•	•		•		62/79/94/117/143/177/230/261
105	Produktionsplan Werk II						•			•	•	•		•	•		63/144/178/210/241/262
106	Protokoll Farbversuche					•		•									64/11
107	Produktionskarte TP					•											93
108	Profildaten					•		•									95/118

Bild 10
Systematische Dokumentenanalyse

den nach den Kostenarten »Personal-, Ausstattungs-, Raum- und Flächen-, Bestands- sowie Folgen und Umlagekosten«, die jeweiligen Teilprozeßkosten ermittelt werden können. Diese sehr strukturiert erfaßten prozeßbezogenen Kennzahlen bieten gleichzeitig eine hervorragende Unterlage für Ratio-Potentialanalysen.

Die benötigten Kostendaten für das Ausfüllen des Kostenerfassungsblattes sind von der Betriebsabrechnung zur Verfügung zu stellen, um über die vorliegenden Analysedaten ohne großen Aufwand eine Prozeßkostenbetrachtung durchführen zu können.

Nach Abschluß der Ist-Analyse liegen im einzelnen folgende Informationen vor:

- Identifizierung der Hauptaktivitäten und Vorgänge für definierte Aufgaben zwischen und innerhalb der beteiligten Funktionsbereiche mit Kosten- und Zeitvorgaben,

- Definition der benötigten Informationen, Dokumente, Daten, auch für die unternehmensübergreifende Verarbeitung bei Erledigung der Arbeitsschritte für bestimmte Vorgänge innerhalb der einzelnen Funktionsbereiche pro Prozeßkette,

- Festlegung der zeitlichen Reihenfolge der Abarbeitung der Aufgaben innerhalb des Geschäftsprozesses bzw. der Vorgangsbearbeitung,

- Zuordnung der Funktionsträger mit Art der Bearbeitung der benötigten Informationen sowie der Verantwortlichkeiten und Zuständigkeiten,

- Angabe, welche Aktivitäten mit welchen Dokumenten bzw. Daten an welchen Arbeitsplätzen erfolgen.

Aus den untersuchten Abläufen sind Mängel und Störungen bekannt, die kurzfristig abzustellen sind. Hierzu ist eine Groboptimierung durchzuführen, die das Ziel hat, die ermittelten Defizite zu beseitigen.

Aus dieser Ist-Analyse ergibt sich über die nun folgende Prozeßmodellierung ein ganzheitliches Vorgangsbearbeitungs-Sollkonzept. Die

Entwicklung und Realisierung dieses Sollkonzeptes erfolgt über die interaktive Eingabe durch das Realisierungsteam am Rechner.

Der Vorteil dieser Anwendung der Softwaretools besteht also darin, daß die Modellierung der Sollabläufe gemeinsam im Team diskutiert und gleich in den Rechner gegeben werden kann, so daß die Ergebnisse der Abstimmung aktuell dokumentiert sind. Durch Zuordnung der Verantwortlichkeiten innerhalb dieser Prozesse wird gleichzeitig eine Grundlage für das Erreichen der vorgegebenen Zielsetzungen geschaffen, z. B.:

- Verkürzung der Durchlauf- und Bearbeitungszeiten (z. B. beschleunigte Vorgangsbearbeitung),

- Verbesserung der Arbeitssituation der Mitarbeiter (z. B. Aufgabenintegration, weniger Streß),

- Verringerung von manuellem Zusatzaufwand (z. B. Abbau von Doppelerfassungen, Routinearbeiten),

- Erzielung einer verbesserten Entscheidungsgrundlage (vernetzte PC-Arbeitsplätze, Client-Server-Konzept),

- Grundlagen schaffen für eine anforderungsgerechte EDV-System-Auswahl (z. B. elektronische Archivierung, E-Mail, u. a. Lastenhefte).

Für die Umsetzung dieses Konzeptes ist es zweckmäßig, ein ganzheitliches Unternehmensmodell als Ordnungs- und Orientierungsrahmen vorzugeben. Die heute noch häufig anzutreffenden zentral organisierten Bereiche mit vielen funktionalen Schnittstellen und starren Arbeitsabläufen behindern flexible reaktionsschnelle Abläufe. Deshalb sind dezentrale integrierte Organisationssegmente (Business Units) gefordert, die sich innerhalb dieses Unternehmensmodells als ergebnisverantwortliche Einheiten für produktgruppenbezogene Geschäftsbereiche entwickeln und flexibel auf Marktveränderungen reagieren können.

Bild 11 zeigt dieses Unternehmensmodell, in dem die einzelnen Ebenen über Direktionsebene, Centerebene, Subcenterebene und Prozeßebene in Form vermaschter Regelkreise miteinander verbunden sind. Die Vorgabe aus der Direktion erfolgt in immer genauer und aktueller werdenden Zielvorgaben.

Diese Zielvorgaben fungieren als hierarchisch orientierte, vertikale und prozeßorientierte (horizontale) Führungsinstrumente [5]. Der Zweck dieser neuen Organisationsstrukturen liegt darin, den Mitarbeitern soviel Handlungsspielraum und Eigenverantwortung zu übertragen, daß sie motiviert innerhalb der vorher optimierten Geschäftspro-

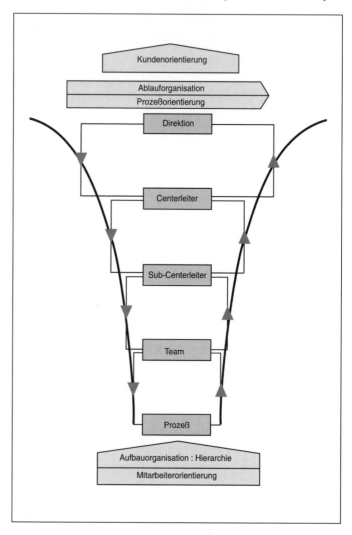

Bild 11
Centerorientiertes
Unternehmensmodell

DATACOM • EDI

zesse selbständig kundenorientiert zum Nutzen des Unternehmens handeln.

3. Zusammenfassung

Durch die methodische Vorgehensweise bei der Geschäftsprozeßoptimierung werden die Voraussetzungen für die Einführung von unternehmensübergreifenden Kommunikationssystemen mit Hilfe der als CASE TOOL realisierten SYCAT-Werkzeuge erheblich erleichtert. Die dabei vorgegebene Einführungsreihenfolge schafft die Voraussetzung für eine integrierte durchgängige Lösung bei den beteiligten Marktpartnern.

Für die Einführung eines solchen Konzeptes ist es jetzt allerdings sehr wichtig, die aus dem Einsatz dieser EDV-Werkzeuge resultierenden Veränderungen und neuen Anforderungen an das Management und an die Mitarbeiter zu erkennen. Hiervon hängt letztendlich der Erfolg der Realisierung ab. Das Management muß in der Lage sein, über eine kooperative Zusammenarbeit die Akzeptanz bei den Mitarbeitern zu erzeugen, damit diese motiviert mit Hilfe der modernen Technologie ihre Arbeit ausführen.

Dazu gehört es, Ängste abzubauen und Isolierungen am Arbeitsplatz zu vermeiden. Die Mitarbeiter sind informationsmäßig in die Planung und Gestaltung des Kommunikations-, CIM-Konzeptes mit einzubeziehen. Allerdings muß auch eine Rückkopplung zum Vorgesetzten vorhanden sein, um Mitarbeiterprobleme rasch zu erkennen. Der Mitarbeiter wiederum muß die notwendige Qualifikation erhalten, um die neuen Werkzeuge anforderungsgerecht einzusetzen. Diese Qualifikation soll gleichzeitig die notwendige Disziplin garantieren, die beispielsweise bei der Datenbereitstellung und Verarbeitung erforderlich ist, um den angestrebten Nutzen tatsächlich zu erreichen.

Die beste Organisationsgestaltung und Technikauswahl nützt also nichts, wenn nicht die Menschen innerhalb dieser Organisation und Technik ihr Engagement und ihren Sachverstand mit einbringen. Der Unternehmenserfolg ist nur über die Zufriedenheit aller am Projekt Beteiligten dauerhaft zu erreichen.

5. Literaturverzeichnis

[1] Daniels, H.-J.: EDIFACT – Baustein für einen Kommunikationsverbund. in: FB/IE 38 (1989) 6, S. 296 – 300

[2] Daniels, H.-J.: EDIFACT – Baustein für einen Kommunikationsverbund. in: FB/IE 38 (1989) 6, S. 296 – 300

[3] Binner, Hartmut F.: Prozeßkettenmodellierung. In: CIM-Management 4/91, S. 30 – 31

[4] CIM OSA, Europäische Initiative für offene CIM-System-Architektur. in: CIM-Management 1/89, S. 9 – 15

[5] Binner, Hartmut F.: Strategie des General-Management. Ausweg aus der Krise. Springer Verlag 1993

EDI: Neue Potentiale in Geschäftsbeziehungen mittels Electronic Data Interchange

Christian Warsch

1. Einleitung

Kürzere und flexiblere Produktentwicklungs- und Produktionsmethoden sowie die damit einhergehenden geringeren Lagerhaltungszeiten fordern schnellere Kommunikationswege zwischen den daran beteiligten Geschäftspartnern. EDI, verstanden als die automatische Kopplung von Anwendungssystemen über Unternehmensgrenzen hinweg, basierend auf international vereinbarten Standarddatenformaten, bietet sich immer dringender als zwar bekannte, aber nicht annähernd durchgängig praktizierte Lösung an.

Die meisten mittelständischen Unternehmer begreifen zunehmend eine neue Dimension der Abhängigkeit von den Großabnehmern, die mehr als nur die Abnahmepreise diktieren. Wollen sie im beinharten Wettbewerb überleben, sind sie immer stärker gezwungen, auch Ihre Datennetze denen ihrer Kunden anzupassen. Praktisch alle Großunternehmen fordern heute die Ware papierlos an und lassen sich Frachtbriefe wie Rechnungen elektronisch ins Haus kommen. Sie automatisieren die Rechnungsprüfung und sparen so Zeit und Personal. Die Folge ist, daß beim Zulieferer ein vermehrter, erheblicher Aufwand getrieben werden muß, da die Anbindung an mehrere Konzerne besonders problematisch ist, weil deren Systeme zueinander wiederum inkompatible Datenverarbeitungsverfahren darstellen. Leider genügt zudem nur ein Bruchteil aller Geschäftsvorgänge den von EDI gestellten Anforderungen. Zu viele individuelle Lösungen und deren Ausrichtung auf bestimmte Geschäftspartner behindern die Ausbreitung. Ungeachtet dessen erzielen die beteiligten Geschäftspartner (oder zumindest ein Teil von ihnen) erhebliche wirtschaftliche Vorteile, weil die Dokumentenbearbeitung beim Versender und beim Empfänger weitgehend automatisiert werden kann und weil eine Neuerfassung von Daten und das Klären offener Punkte bzw. von Fehlern entfallen.

Handel und Industrie tauschen eine Vielzahl verschiedener Geschäfts-dokumente aus, die typischerweise noch immer jeweils der Empfän-ger, d. h. in nicht wertschöpfender Art und Weise, neu erfassen muß. Sieht man sich heute um, so findet man eine Vielzahl von Insellösun-gen, bei denen sich entweder bilateral oder branchenbezogen Stan-dards etabliert haben. Neben diesen inzwischen stabilen Branchenlö-sungen erkannte man bereits in den 80er Jahren auf internationaler Ebene die Notwendigkeit einer weltweiten Normierung von Geschäfts-dokumenten. So wurden von den Vereinten Nationen verschiedene Arbeitsgruppen gebildet, welche die Aufgabe hatten, eine solche weltweit über alle Branchen hinweg gültige Norm für Rechnungen, Lieferscheine, Bestellungen aller Art, Liefernachrichten und eine Vielzahl weiterer Nachrichtenarten zu entwickeln.

Wie schwierig der Weg zu einer Standardisierung des Informations-tranfers ist, zeigt der mühselige Versuch der nationalen und internatio-nalen Normungsgremien, eine branchenübergreifende elektronische Weltsprache für den Austausch von Handelsdaten durchzusetzen. Als sich die UN-Wirtschaftskommission für Europa Mitte der achtziger Jahre endlich dazu durchrang, mit EDIFACT (Electronic Data Inter-change for Administration Commerce and Transport) ein Korsett für die zwischenbetriebliche Datenkommunikation zu entwerfen, hatten Banken, Versicherungen, Autohersteller, Baustoffproduzenten und Elektronikunternehmen längst eigene Standards etabliert. EDIFACT wurde inzwischen international eine ISO- und national eine DIN-Norm und beinhaltet mehr als 170 Nachrichtentypen. In der Vorberei-tungsphase befinden sich nahezu 300 verschiedener Geschäftsvorfäl-le. Vor allem die Komplexität und vielfältige Interpretierbarkeit trugen dazu bei, daß sich EDIFACT anfangs nur sehr zögerlich verbreitete. Das führte dazu, das sich momentan eine wahre Flut von Branchenver-bänden auf EDI stürzt und in den kommenden Jahren als strategisches Mittel einzuführen gedenkt.

Ist der elektronische Austausch von dispositiven Informationen für klein- und mittelständische Unternehmen schon problematisch, berei-tet die Korrespondenz mit Konstruktionsdaten weitaus größere Schwie-rigkeiten. Die CAD/CAM-Systeme (Computer Aided Design/Compu-ter Aided Manufacturing) präsentieren ihre Qualitäten meist auf einer zueinander inkompatiblen Software. Eine reibungslose Integration von einem CAD-System in ein zweites funktioniert in der täglichen

Praxis heute aber nur, wenn beide Seiten den Dialog über identische Programme und meist auch identische Organisation ermöglichen. Doch vom Ideal der simultanen Produktentwicklung (Simultaneous Engineering), bei dem Auftraggeber und Zulieferer über kompatible Computernetze ihre Daten direkt austauschen, ist man in der Praxis noch weit entfernt.

Der elektronische Datenaustausch vollzog sich bisher weitgehend in bestimmten Branchen. Wünschenswert wäre eine breitere Öffnung für mittelständische Unternehmen. Doch bevor das geschehen kann, müssen noch einige Hemmnisse im Bereich der Gesetzgebung, der Telekom-Kosten und der Software aus dem Weg geräumt werden. Es ist trotzdem festzustellen, daß die Zeit für EDI reif ist. Eine Infrastruktur in Form von verschiedenen, geeigneten Datennetzen ist verfügbar, und es sind ausreichend Softwaretools vorhanden, um einen sinnvollen Einsatz von EDI zu planen. Der Anwender kann heute also mit völlig anderen Voraussetzungen an EDI herangehen als noch vor zwei Jahren und auch kurzfristig den Einstieg in EDI realisieren.

2. Die Potentiale des EDI

Arbeit, Boden und Kapital oder Arbeit, Betriebsmittel und Werkstoffe werden in den Wirtschaftswissenschaften üblicherweise als Produktionsfaktoren genannt. Zur Kombination der klassischen Produktionsfaktoren ist Information unabdingbar. Daher stellt planende, orientierende und koordinierende Information, welche dem Geschehen in der Regel logisch und zeitlich vorausgeht, einen eigenen produktiven Faktor dar.

Bild 1
Information als 4.
Produktionsfaktor

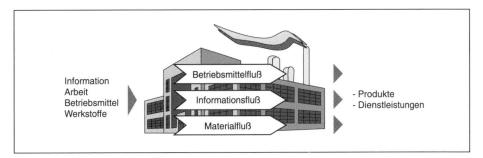

Die Information, welche zunehmend den Charakter einer Ware bekommt, wird als vierter Produktionsfaktor vor die klassischen drei Faktoren gestellt. Schnelle Verfügbarkeit durchgängiger Informationsinfrastrukturen wird dies umso schneller durchsetzen. Betrachtet man die Nutzung von informations- und kommunikationstechnischen Hilfsmitteln unter einer historischen Perspektive, so fällt zunächst auf, daß sich Einsatzziele im Produktionsbereich und im administrativen Bereich parallel herausgebildet haben.

Im Produktionsbereich sind Informations- und Kommunikationstechniken traditionell auf Automatisierung ausgerichtet, um menschliche Arbeitskraft durch Maschinenkraft zu ersetzen. Heute jedoch werden sie nicht mehr nur zur Steuerung von einzelnen Maschinen eingesetzt, sondern zur Steuerung und Planung des gesamten Systems. Im administrativen Bereich wurden zunächst Großrechner zur Bearbeitung von Massendaten eingesetzt. Durch die Informations- und Kommunikationstechniken wird heute eine Multifunktionalität der Endgeräte erreicht, die durch eine Vernetzung weiter gesteigert wird. Betrachtet man das gesamte Unternehmen, so zeigt sich heute als Gesamtkonzept:

- CIM (Computer Integrated Manufacturing) als Fabrik der Zukunft und

- CIB (Computer Integrated Business) als Büro der Zukunft, verbunden durch

- Kommunikationsnetz der Zukunft.

Gemeinsam ist diesen drei Bereichen eine einheitliche technische Basis. Hierzu zählt in erster Linie Computertechnik, digitale Signaltechnik und Mikrotechnologie. »Information« soll Material und Materialfluß ersetzen. Dies wird dann dazu führen, daß sich in vielen Branchen das Schwergewicht menschlicher Tätigkeit weg von der Produktion hin zu Entwicklung und Entwurf verlagert, also von der Fabrik ins Labor und Büro. Der planende Umgang mit der Ressource Information bezüglich Ort, Zeit, Menge und Abnehmer wird somit für unternehmerische Ziele immer wichtiger und erfordert, die betriebliche Informationsqualität laufend zu aktualisieren, zu verwalten und zu schützen.

EDI hat in einer Reihe von Branchen, u. a. im Automobilbau und der Elektronik, schon lange eine strategische Bedeutung und wäre nicht mehr wegdenkbar. Der Vorteil von EDI liegt darin, daß der beim üblichen Geschäftsverkehr vorliegende Medienbruch vermieden wird. In der bisherigen Form des Ablaufes wird ein durch die unternehmensinterne EDV erstelltes Dokument auf Papier gedruckt, mit der Post (oder gelegentlich auch einem privaten Botendienst) versandt, und beim Empfänger werden die Daten dann manuell wiedererfaßt und in die EDV eingegeben. Oft sind dann Lieferung und Geschäftsaktenaustausch zeitlich unkoordiniert. Z. B. ist nicht selten die Ware vor der Lieferanzeige im Hause.

EDI vermeidet die Zwischenschaltung des physikalisch zu transportierenden Datenträgers aus Papier und übergibt die Geschäftsdaten direkt zwischen den EDV-Systemen der beteiligten Unternehmen. Die dabei erreichten Vorteile sind z. B.:

– Rationalisierung (weniger Personal für das gesamte Papierhandling),

– Kosteneinsparung (es entfallen Papier, Druck, Porto usw.),

– kürzere Logistik-Ketten (damit schnellerer Warenverkehr),

– kürzere Warenbeschaffungszeiten und pünktlichere Lieferungen (was die wesentliche Basis für die heute auf breiter Ebene praktizierte »Just-in-Time«-Anlieferung darstellt),

– man kann mit kleineren Lagerbeständen auskommen (was weniger gebundenes Kapital darstellt),

– es ist eine bessere Kontrolle der Warenbewegungen möglich (sicherere, fehlerfreiere Lieferung),

– schnellerer Zahlungsverkehr,

– besserer Kundenservice,

– starke Verringerung der Fehler gegenüber der sonst nötigen wiederholten manuellen Datenerfassung,

– vereinfachte Abwicklung mit Behörden (z. B. Zoll bei grenzüberschreitendem Warenverkehr).

3. Die Motivation zur Einführung von EDI

In weiten Teilen des Mittelstandes und Zulieferindustrie jedoch konnten sich in der Vergangenheit insbesondere die kleinen Unternehmen nur wenig auf die elektronische Datenverarbeitung stützen. Die Begründungen hierfür sind vielschichtig:

– hohe Investitionskosten bei schwer abzuschätzendem, rechenbarem Nutzen,
– teures Fachpersonal erforderlich,
– eventuelle Abhängigkeit von externer DV-Beratung,
– Hardware und Software nicht mittelstandsorientiert,
– langfristige Festlegung auf das einmal gewählte System,
– Entscheidungsunsicherheit durch rasante technische Innovation der Rechnertechnologie bei gleichzeitigem starkem Preisverfall.

Für die Nutzung der Möglichkeiten der Datenkommunikation gelten die aufgeführten Begründungen in noch erheblich verstärktem Maße.

Aus Sicht der Automobilindustrie beispielsweise ergeben sich zwei Ziele, welche die Arbeitsteilung zwischen den Unternehmen stark verändern werden, aber auch den Zulieferern einen Mehrumsatz geben kann:

– Reduzierung der Fertigungstiefe durch den Bezug von kompletten Baugruppen bei gleichzeitiger Reduzierung der Kapitalbindung,

– Reduzierung der Entwicklungstiefe verbunden mit einer Entwicklung und Produktion von kompletten Baugruppen durch den Zulieferer.

Diese operative Zusammenarbeit bedarf einer engen Kopplung. Diese wird durch die Vielzahl unterschiedlicher Nachrichtentypen zusätzlich erschwert. Einen möglichen Ausschnitt der zwischen Hersteller und Zulieferer austauschbaren Daten zeigt Bild 2.

Besonders auf dem Gebiet der Produktentwicklung unmittelbar nach Festschreiben des Ziels wird der Einsatz des »Simultaneous Engineering« erforderlich. Hierunter versteht man neben dem Ansatz Aktivitäten, die bisher sequentiell abliefen, zu parallelisieren, die frühzeitige

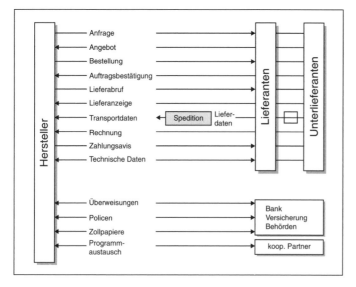

**Bild 2
Beispiele möglicher Nachrichten zwischen Hersteller und Lieferant**

Einbindung allen erforderlichen Know-hows von innerbetrieblich beteiligten Abteilungen und zusätzlich von kooperierenden Zulieferunternehmen. Dies in verschiedenen Branchen praktizierte Verfahren wird durch den Einsatz der Kommunikationstechnik zusätzlich beschleunigt bzw. überhaupt erst ermöglicht.

Für die Weiterverarbeitung von Information ist es daher notwendig, diese nach dem Zweck:

– Entscheidungsinformation,
– Prozeßinformation und
– Wissensvermittlung

sowie nach ihrer Struktur:

– Informationsart,
– technischem Informationszustand und
– Informationstiefgang zu differenzieren.

Wesentlich ist, daß der Zweck weitgehend die Art und Dauer von Zugriffsmöglichkeit, Reproduzierbarkeit und Verteilung von Information bestimmt. Für die Verarbeitbarkeit von Information sind Art und Zustand entscheidend. Denn hierdurch wird die Weiterverarbeitbarkeit sowie die Kommunikationsfähigkeit beeinflußt.

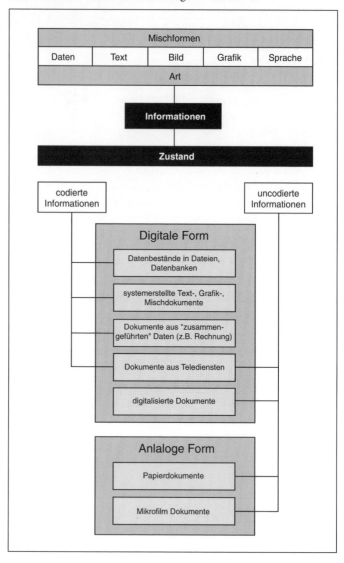

Bild 3
Art und Struktur
von Information
(nach AWV)

Basis für eine effektive und wirtschaftliche Realisierung ist die Vermeidung von »Medienbrüchen«. Die Bezeichnung »Medienbruch« bedeutet im Rahmen der Büroarbeit die Veränderung der Formatierung oder der Darstellungsart von Text oder/und Festbild ohne inhalt-

liche Änderung aufgrund organisatorischer Vorschriften oder einge-
schränkter Leistungen der eingesetzten Büromaschinen. Ein typisches
Beispiel für einen organisatorisch bedingten Medienbruch ist das
Umformulieren und Umformatieren einer formlosen Bestellung auf
ein firmeninternes Auftragsformular. Ein typisches Beispiel für einen
technisch bedingten Medienbruch ist das Abschreiben eines Compu-
terausdrucks (Schnelldruck) auf einer Teletexstation, um den Brief –
z. B. ein Angebot – elektronisch (rasch) an den Kunden übertragen zu
können. In allen Fällen, in denen Texte oder Festbilder gleichen Inhalts

umformuliert, umformatiert auf
anderen Mitteilungsmitteln fest-
gehalten werden, spricht man
von Medienbrüchen. In allen
Fällen werden bei Medienbrüchen Mitteilungen ohne zusätzlichen Informationsgewinn erzeugt. Allerdings kann dann
durch die Umformulierung oder
Umformatierung der Nachrich-
teninhalt für den Empfänger kla-
rer, verständlicher, übersichtli-
cher, prägnanter zum Ausdruck

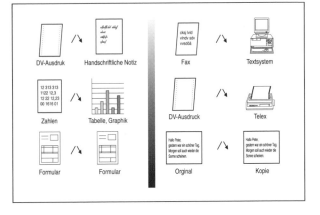

gebracht werden. Ist dies der Fall, dann entsteht über den Medienbruch
qualitative Wertschöpfung. Andernfalls handelt es sich um zu vermei-
dende Büroarbeit ohne Wertschöpfung.

Bild 4
Beispiele für
Medienbrüche

Durch elektronische Datenkommunikation lassen sich in produzierenden Unternehmen erhebliche Rationalisierungsreserven erschließen.
Dies gilt sowohl für den Bereich der Produktentwicklung als auch für
die Produktion. Heute besteht der Zwang zur Arbeit im Unternehmensverbund, will man die Kosten- und Zeitziele erreichen, die die deutsche
Industrie wettbewerbsfähig halten.

Im Bereich der Serienfertigung gibt es viele Beispiele für den Daten-
transfer. Heute ist, basierend auf schnellen Datennetzen, der elektronische Transport von CAD-Daten (Computer Aided Design) technisch
kein Problem. Für dispositive Daten gilt dies ebenfalls. Die Datenfor-
matierung macht zur Zeit große Fortschritte, so daß in naher Zukunft
hier mit Vereinfachungen gerechnet werden kann.

Die Organisation der Geschäftsprozesse der vielschichtigen Unternehmensverbunde sind extrem problematisch. Ein entsprechendes Systemchaos gibt es bei Zulieferern, da sich die hausgestrickten Insellösungen der Konzerne so gut wie nie mit den Systemen der Zulieferer vertragen. Dies bedeutet, daß Zulieferer besonderen Schwierigkeiten gegenüberstehen, da sie ihre Organisation flexibel an unterschiedliche externe Organisationsformen angleichen müssen.

siehe Stabilus

4. Taktik versus Strategie

Die Einführung von EDI ist ein insbesondere organisatorischer Eingriff in ein Unternehmen und ist mit Risiken behaftet. EDI verändert das Unternehmen durch nötige Anpassungen in der Aufbauorganisation, der Ablauforganisation und in den damit verbundenen Datenverarbeitungsabläufen. Außerdem ist zu beachten, daß der Markt noch »jung« und damit noch kaum transparent ist bezüglich der angebotenen Dienstleistungen und Produkte. Der Anwender kann oft Schwächen und Probleme erst in der Pilotphase erkennen, d. h. erst nach der Entscheidung für ein EDI-System und nach der schon getroffenen Hauptinvestition und Umorganisation. Es ist mit einer Lernphase zu rechnen. Diese trifft kleinere Firmen wesentlich härter als große Unternehmen.

Bei der Auswahl eines EDI-Systems sind folgende Gesichtspunkte besonders zu beachten:

– Sind die nötigen Konvertierungsfunktionen zum Umstieg auf die neuen Datenformate vorhanden ?
– Ist das System konform mit den zu verwendenden Nachrichten-Standards ?
– Kann es leicht an die Versionen der vorhandenen Anwendungs-Software angepaßt werden ?
– Gibt es ein Inhouse Data Dictionary ?
– Welcher Art ist die Archivierung ?
– Welcher Art ist die Dokumentation ?
– Welcher Art ist die Kommunikation ?
– Welcher Art ist die Host-Kopplung ?

- Wie sieht eine nötiges Partnerprofil aus ?
- Welcher Art sind die Syntax-Prüfung und Fehlerbehandlung ?
- Welcher Art sind die nötigen Sicherheitsfunktionen ?
- Gibt es eine vollautomatische Ablaufsteuerung und bedienerlose Funktion »rund um die Uhr« ?
- Gibt es eine Verarbeitbarkeit von gegebenenfalls mehreren EDI-Standards ?

Ein Unternehmen in seiner Einbindung im Kommunikationsverbund ist, wie die obigen Fragen zeigen, einzigartig und daher mit seinen individuellen Fragestellungen zu betrachten. Dies ergibt einen erheblichen Bedarf an EDI-Beratung. Bisher verfügbare Methoden und Ansätze zur Einführung zwischenbetrieblicher Kommunikation beschränkten sich im wesentlichen nur auf die Teilbereiche Datenkommunikationstechnik und -formate. Ein wirtschaftlicher Aufbau von Systemen zur zwischenbetrieblichen Kommunikation erfordert jedoch einen ganzheitlichen Ansatz, der beginnend mit der betrieblichen Anwendung in der betrieblichen Organisation den Bogen über Datenformate, Rechnersysteme und Kommunikationstechnik unter Berücksichtigung der bilateralen Zusammenarbeit zu dem Kommunikationspartner spannt. Hierfür müssen neue angepaßte Methoden, Techniken und Werkzeuge zum Einsatz kommen.

Als Basis zur Erstellung eines allgemeinen Konzeptes zur Einführung zwischenbetrieblicher Kommunikation in ein Unternehmen wird das in Bild 5 gezeigte Modell verwendet.

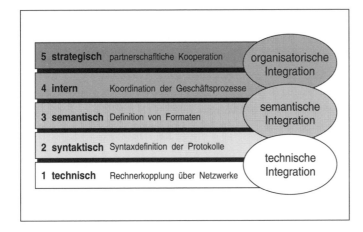

**Bild 5
Integrations-
bereiche im EDI**

Es unterteilt drei Integrationsbereiche »Organisation«, »Semantik« und »Technik« und fünf Realisierungsstufen. Diese sind bei der Umsetzung für eine Kommunikationsverbindung sukzessive zu bearbeiten, und es ist zulässig und erforderlich, vorher Rahmenbedingungen den einzelnen Stufen zuzuordnen. Das Basismodell ist so formuliert, daß es zwei mögliche Ausgangspunkte zur Einführung von EDI im Unternehmen gibt:

– strategische Einführung und
– taktische Einführung.

Bei einer strategischen Motivation zur Einführung von EDI kann man über strategische Partnerschaften den Einstieg beginnen. Zuerst wird man die Kooperationspartner bestimmen, mit denen EDI den größten wirtschaftlichen Effekt verspricht. Danach werden die internen Abläufe bei den betroffenen Betriebsbereichen geklärt und geprüft, welche Umstellungen bei der EDI-Einführung durchzuführen sind. Mit dem Kommunikationspartner stimmt man erst im dritten Schritt die semantischen, syntaktischen und technischen Eigenschaften der EDI-Verbindung ab. Bei taktischer Veranlassung, d. h. ein für den Unternehmenserfolg bedeutsamer Partner fordert die Installation von EDI, werden vom Kommunikationspartner die Einhaltung bestimmter Kommunikationsmedien verlangt, die in den Stufen eins, zwei und auch drei als Nebenbedingungen einschränkend sind. Diese können nur in Ausnahmefällen im eigenen Sinne beeinflußt werden. Da es gilt, die Basisdienste der Kommunikation und weniger innerbetriebliche Abläufe zu realisieren, ist es vorerst wichtig, die Stufen eins bis drei umzusetzen. Das reibungslose vorteilhafte Einbinden von EDI in den betrieblichen Alltag steht erst in zweiter Linie an. Das Ziel der taktischen EDI-Einführung ist offenkundig nur ein Befriedigen der externen Wünsche, um dann in einer späteren Phase, wenn man dann noch dazu Zeit findet, das Verfahren innerbetrieblich wirtschaftlich zu gestalten. Die Bearbeitung der Stufen 4 und 5 wird also einstweilen nicht angegangen.

Bei jedem weiteren Ausbau des innerbetrieblichen Kommunikationsmodells wirken die schon existierenden technischen, syntaktischen und semantischen Vereinbarungen vorhandener Kommunikationsbeziehungen einschränkend auf die Auswahlmöglichkeiten in den fünf

Realisierungsstufen. Da jede Abweichung von den schon realisierten Kommunikationsmitteln wenigstens mit Kosten für Hard- und Software verbunden ist, wird jedes Unternehmen bestrebt sein, möglichst nicht von der eigenen EDI-Konzeption und Realisierung abzugehen. Welcher der Partner seine Vorstellungen diesbezüglich durchsetzen kann, hängt typischerweise nicht zuletzt von seiner Marktposition ab.

Bedeutsam für die Entwicklung eines EDI-Einführungskonzeptes ist, daß dieses für jedes Unternehmen individuell umgesetzt werden muß. Der Grund ist, daß durch die Verbindung der betriebsspezifischen Infrastruktur mit der Position des Unternehmens im Kooperationsgefüge die kommunikativen Anforderungen einmalig sind. Dies belegt auch die Notwendigkeit, heute für jede EDI-Verbindung trotz Verwendung von Standards und Normen zusätzlich bilaterale Austauschvereinbarungen treffen zu müssen. Eine Strategie zur Einführung von EDI wird daher eher einen Werkzeugcharakter haben, weil sich Anwendungen und Verbindungen nicht bis ins Detail vorstrukturieren lassen.

Die Komplexität einer EDI-Einführung liegt daher weniger im Aufbau eines technischen und DV-technischen Systems, sondern wesentlich in der Einbindung in das betriebliche Umfeld und in dem sich ständig ausweitenden und ändernden kommunikativen Kooperationsumfeld. Die Aufgabe, mit einem Kooperationspartner den technischen Teil der Kommunikation aufzubauen, ist aus datentechnischer Sicht beispielsweise mit dem Aufbau der CAD/CAM-Verfahrenskette vergleichbar. Ist diese im Unternehmen aktiviert, ist diese Aufgabe abgesehen von üblichen Wartungs- und Pflegearbeiten abgeschlossen. Bei der Nutzung einer Kommunikationsverbindung zu einem Partner können jedoch die verschiedensten Datentypen, also dispositive und/oder technologisch/geometrische Daten, übermittelt werden. Dies bedarf einer von dem Datentyp abhängigen Verarbeitung im Unternehmen. Geht man von dem gleichen Datentyp aus, beispielsweise von CAD-Daten, so muß man mit mehreren Unternehmen kommunizieren, was zur Folge hat, daß aufgrund der individuellen Vereinbarungen und Wünsche von beiden Seiten jede Verbindung auch ihre eigenen Gegebenheiten hat. Jede einzelne Kommunikationsverbindung ist also durch ihre technischen, syntaktischen, semantischen und ablaufspezifischen Attribute individuell zu betrachten. Ein ganzheitliches Vorgehen für ein Gesamtsystem würde an der Komplexität von Verbindungen, des betrieblichen Umfeldes und der starken Abhängigkeit von äußeren Einflüssen scheitern. Ein ganzheitliches phasenorientiertes Vorgehen kann für einzelne EDI-Verbindungen im Rahmen eines Projektes durchgeführt werden. Ebenso zwingen die besonders im Bereich der Informations- und Kommunikationstechnik extrem kurzen Innovationszyklen, die technischen Stufen vorausschauend zu projektieren, sie dann aber kurzfristig umzusetzen. Mittel- und langfristige Planungen sind hier nur eingeschränkt möglich. Ein weiterer sich ständig verändernder Bereich ist die innerbetriebliche Kommunikation, auf welcher EDI letztlich aufbauen muß. Einführung von EDI in ein Unternehmen ist die Verknüpfung mehrerer sich ständig verändernder soziotechnischer Systeme in heterogenem, innovativem, technischem Umfeld zur Erreichung wirtschaftlichen Vorteils. Basis für die Auseinandersetzung mit EDI sowohl für die Planung als auch für Einführung, Betrieb und Wartung muß ein Konzept sein, welches in der Lage ist, auf ständige Änderungen flexibel zu reagieren.

5.   Rechtliche Aspekte/Sicherheit

Die Problematik der Datensicherheit ist ein weiterer Aspekt, der durch Ereignisse in jüngster Zeit verstärkt die Aufmerksamkeit auf sich gezogen hat. Spätestens in dem Augenblick, in dem ein Unternehmen EDV-Systeme und Datenbestände von außen zugänglich macht oder über »neutrales Gebiet« zu einem bestimmten Empfänger verschickt, müssen Konzepte zu Datenschutz und Datensicherheit erarbeitet und in konkrete Maßnahmen umgesetzt werden. Information als Ware betrachtet stellt für den Empfänger einen Wert dar, der nur sehr schwer zu quantifizieren ist. Fast genauso schwer ist der mögliche Schaden zu quantifizieren, der bei Veränderung der Daten oder bei Weitergabe an einen falschen Empfänger entsteht. Daher erfordert gerade die zwischenbetriebliche Datenkommunikation neue auf die beschleunigte Abwicklung ausgerichtete Sicherheitsmaßnahmen sowohl im innerbetrieblichen Informations- und Kommunikationssystem als auch in bezug auf eingehende Nachrichten. Dabei muß man davon ausgehen, daß es keine absolute Sicherheit gibt. Dies entspricht der Erfahrung aus der Software-Erstellung, wo die Herstellung fehlerfreier Software mit derzeitigen Mitteln praktisch nicht möglich ist. Dort wird die Forderung nach vollständiger Korrektheit durch die Forderung nach hoher

Zuverlässigkeit der Software abgeschwächt. Bei der Datensicherheit von Informations- und Kommunikationssystemen stützt man sich auf den Begriff der »Vertrauenswürdigkeit«.

Wenn Unternehmen Datenbestände elektronisch versenden bzw. empfangen, ist von einem sicheren Kommunikationssystem zu erwarten, daß eine vertrauliche Kommunikation möglich ist. Der Aufwand für diese Sicherheitsleistung ist je nach dem Grad der Gefährdung sehr unterschiedlich. Hierfür können verschiedene Dienste eingerichtet werden. Ein wichtiger Dienst ist zur Sicherstellung der Datenunversehrtheit einzurichten. Er muß erkennen, ob Daten gelöscht, verändert, eingefügt oder wiederholt werden. Weiter müssen sich die an der Kommunikation teilnehmenden Partner von der wahren Identität des anderen überzeugen können. So wird sichergestellt, daß die Bestellung auch bei der Firma eingeht, die den Auftrag erhalten soll. Der Empfänger einer Nachricht muß einen juristisch abgesicherten Sendernachweis erhalten, damit belegt werden kann, wer die Nachricht, beispielsweise eine Bestellung, gesendet hat. Im gleichen Sinne muß der Absender einen Beleg erhalten, daß seine Nachricht beim Empfänger eingegangen ist. Diese Sicherheitsdienste sollten je nach Bedarf in Anspruch genommen werden können. Gerade die juristischen Problembereiche sind Gegenstand intensiver Bearbeitung. Je nach Grad der Vertraulichkeit von Daten sind Maßnahmen zu treffen, damit kein Unbeteiligter, auch nicht zufällig, Daten im Klartext lesen kann. Diese Vertraulichkeit kann sich auf Dateneinheiten oder auch auf eine Verbindung insgesamt beziehen. Auch soll aus der Nutzung einer Verbindung nicht erkennbar sein, in welchem Umfang diese genutzt wird. Hier sind Maßnahmen zur Verhinderung einer Verkehrsflußanalyse vorzusehen. Gemeinsam ist allen Anstrengungen zu einer gesicherten Datenkommunikation, daß sie sich in einem soziotechnischen System ereignet, also nur bedingt durch technische Maßnahmen allein sichern läßt.

Die rechtliche Basis für EDI-Transaktionen sind heute vertragliche Abmachungen direkt zwischen den Beteiligten. Hierfür gibt es Leitlinien (UNICID) der internationalen Handelskammer, die Grundlage für bilaterale oder multilaterale Verträge sein können. In Deutschland hat das DIN eine Austauschvereinbarung vorbereitet, deren Verabschiedung gegenwärtig erwartet wird. Die Änderung der gesetzlichen Grundlagen, um EDI-Geschäfte von einer zwingenden Schriftform zu lösen, wird auch in Deutschland allmählich in die Wege geleitet. Aufgrund der Fülle der Rechtsvorschriften, die für EDI zu beachten sind, wird das Ausräumen der gesetzlichen Hindernisse ein langwieriger Weg sein.

6. Wirtschaftlichkeit

Die Wirtschaftlichkeit von EDI wird heute nicht nur unter dem Aspekt der Kosteneinsparung durch Nutzung von Datennetzen und schnellerer Informationsvermittlung und -übertragung gesehen, sondern gerade die strategischen Werte wie engere, partnerschaftliche Kunden/Lieferantenbindung oder auch vermehrte präzisere Informationsverfügbarkeit werden als nicht quantifizierbare Werte zur Entscheidungsfindung herangezogen. Dies gilt besonders, da Marktposition und Unternehmensstrategie hierfür eine wesentliche Rolle spielen. Im Rahmen dieser Arbeit wird auf eine detaillierte Ermittlung von Werten im quantifizierbaren Bereich verzichtet. Die Kosten für den Anschluß an und den Betrieb von Datenkommunikationseinrichtungen werden größtenteils von folgenden Bedingungen bestimmt:

- Art des Datenübertragungsdienstes/-netz,
- Datenvolumen,
- Verbindungsdauer,
- Entfernung der Teilnehmer,
- Tageszeit der Verbindungsaufnahme,
- Verhältnis von Nutzdaten zu Protokoll-Overhead.

Die Werte können zwar einer Kostenoptimierung unter betrieblichen Gesichtspunkten zugeführt werden, sind aber immer in Absprache mit dem Kommunikationspartner zu bewerten. Von dieser Vereinbarung kann es dann abhängen, ob beispielsweise eine Datenübertragung nachts (weil preisgünstiger) stattfinden kann, oder ob ein bestimmtes Datenvolumen pro Zeit erreicht werden muß, damit beispielsweise Datenleitungen nicht übermäßig blockiert sind. Grundlegend für die Wirtschaftlichkeit einer schnelleren Datenübertragung ist neben der verminderten Fehlerhäufigkeit durch manuellen Eingriff, die Fähigkeit eines Unternehmens, diese schnelle Kommunikation umzusetzen. Dies ergibt dann nicht direkt quantifizierbare Vorteile wie:

- schnellere Antwort auf Anfragen,
- Verminderung des Entscheidungsrisikos,
- größere Auswahl von Alternativen.

Zusammenfassend kann für die Einführung von EDI ein Gesamtkonzept aufgestellt werden. Dieses gliedert sich in die Bereiche:

- Kooperationskonzept,
- Organisationskonzept,
- informationstechnisches Rahmenkonzept,
- kommunikationstechnisches Rahmenkonzept,
- Wirtschaftlichkeitsbetrachtung.

Aus diesen 5 Teilbereichen läßt sich für den jeweiligen Anwendungsfall ein speziell entwickeltes Konzept entwickeln. Jedes entwickelte Partner/Nachrichten-Konzept muß in das allgemeine Kooperationskonzept zurückgeführt werden. Damit wird dieses wiederum genauerer definiert, da durch die erforderlichen betrieblichen Veränderungen, die jedes Partner/Nachrichten-Konzept bedingt, das Ausgangskonzept modifiziert und weiter fixiert wird.

Unabhängig davon, ob die Einführung von EDI aus strategischen oder taktischen Gründen erfolgt, muß zunächst ein Kooperationskonzept aufgebaut werden. Hierbei entwickelt man eine Kooperationsmatrix. Die Zeilen repräsentieren kooperierende Unternehmen, die Spalten die auszutauschenden Nachrichtentypen. Als weitere Information kann den einzelnen Zellen der Kooperationsmatrix der Status einer Verbindung bezogen auf die Richtung des Datenaustausches und des Betriebsstatus beigefügt werden. Diese Matrix wird Basis für jeden weiteren Ausbau von EDI im Unternehmen sein und im Laufe der Zeit stark anwachsen.

Im nächsten Schritt sollte ein Unternehmen sein organisatorisches Konzept überarbeiten oder aufstellen und bestimmen, wie zu sendende oder zu empfangende Nachrichten ablauforganisatorisch zu behandeln sind. Da diese Abläufe komplex sein können, empfiehlt es sich, in einem Funktionenmodell die betrieblichen Funktionen, Datenflüsse und vor allem die innerbetrieblichen Schnittstellen im Verfahrensablauf zu bestimmen. Dieses Modell ist dann die Basis zur Bestimmung neuer Abläufe bezüglich Informationsverteilung, -aufbereitung, -sicherheit und -management. Die hier geleistete Grundlagenarbeit bestimmt wesentlich die Erreichung eines hohen Grades an Integration des Informationsflusses und damit die Wirtschaftlichkeit des EDI-Verfahrens. Bezogen auf die Kooperationsmatrix werden für einen Nachrichtentyp, also eine ganze Spalte, die prinzipiellen Abläufe bestimmt. Für eine Zelle können dann kleinere Abweichungen eintreten, die sich aber in den Gesamtablauf integrieren lassen müssen.

Die gleiche Vorgehensweise wird bei der Erstellung des technischen Rahmenkonzeptes angewendet. Anfangs werden die vorhandenen Möglichkeiten der Vernetzung und Schnittstellen erfaßt. Dann sind basierend auf der innerbetrieblichen Informationstechnik die zwischenbetrieblichen Schnittstellen in Zusammenarbeit mit dem Partnerunternehmen zu bestimmen. Hierbei sind sowohl die Schnittstellen im technischen Bereich als auch die Festlegung von Datenformaten vorzunehmen. Die Beschreibung einer Matrixzelle ist vollständig erstellt. Hierbei wurden die innerbetrieblichen Belange berücksichtigt und in einer Weise dokumentationsfähig abgebildet, die einen weiteren Ausbau wirtschaftlich ermöglicht. Nach Abschluß dieser Schritte sind Einführungskonzepte zu erarbeiten. Zeit- und Migrationspläne sind in interner und externer Abstimmung zu erstellen. Hierin werden übliche Phasen einer Einführung von der Pilot- und Parallelphase bis zum vollständig implementierten Ablauf festgelegt. Eine Kostenbetrachtung, die über das gesamte System beiderseitig durchgeführt werden sollte, ist nun zu aktualisieren und muß wegen der sich ständig verändernden Kostenstruktur der Telekommunikationsdienste zyklisch überprüft werden.

7. Die gemeinsame Basis: Der Standard EDIFACT

Die wichtigste Voraussetzung für die Ausbreitung von EDI sind allgemein anerkannte Standards. Diese Standards müssen sich sowohl auf den Inhalt als auch auf die Übermittlung der Nachrichten beziehen.

Für die Standardisierung der Nachrichteninhalte sind heute die internationalen EDIFACT-Normen richtungsweisend. Ihr Vorzug ist, daß sie von unabhängigen Normungsgremien (UN-Wirtschafts-Kommission, ISO und nationalen Normungsorganisationen) unter breit angelegter Beteiligung entwickelt werden und damit nicht von kurzfristigen wirtschaftlichen Interessen gesteuert sind. Sie sind außerdem branchenübergreifend angelegt und tragen damit dem Leistungsverbund zwischen verschiedenen Wirtschaftszweigen Rechnung. Ihr internationaler Charakter berücksichtigt die Unterschiedlichkeit von Sprache, Maßen und Ursachen. Das ist wegen der Globalisierung der Geschäftsbeziehungen unverzichtbar.

Der durch die Globalisierung der Märkte zunehmend branchen- und länderübergreifende Markt verlangt aber nach Lösungen, die nicht mehr auf eine feste Menge von Geschäftspartnern und auf branchenorientierte Regelsysteme beschränkt sind, sondern übergreifend eingesetzt werden können. Eine solche Lösung nennt man offenes EDI-System.

Vor allem die Komplexität und vielfältige Interpretierbarkeit trugen dazu bei, daß sich EDIFACT anfangs nur sehr zögerlich verbreitete. Branchen, die sich für die Verwendung von EDIFACT interessierten, wie zum Beispiel die Elektroindustrie, die chemische Industrie oder der Baustoffhandel, waren gezwungen, in mühevoller Kleinarbeit die Bedeutungen der einzelnen Segmente und Elemente zu ergründen, dies zu dokumentieren und auf die Belange der Branche zu reduzieren.

So entstanden eine Vielzahl von branchen- und firmenspezifischer Untermengen, die sogenannten EDIFACT-Subsets. Diese Empfehlungen sind meistens vollkommen EDIFACT-konform, also von der Syntax und den Segmentinhalten her identisch. Es wird lediglich auf verschiedene Segmente verzichtet oder deren Wiederholungsmöglichkeit eingeschränkt.

Durch die Reduktion verringern die EDIFACT-Subsets den Interpretationsspielraum stark und ermöglichen dem Anwender so eine rasche Einarbeitung in die Thematik. Nachteil bleibt, daß sich unter Umständen verschiedene Subsets nicht untereinander verstehen, das sie gewisse Inhalte verschieden auslegen.

Inzwischen können Branchen meist auf ein bestehendes Subset wie das von der CCG (Centrale Coorganisation in Köln) entwickelte EAN-

Branche	EDI-Standards	Nachrichten	Übertragungsweg
Automobil	VDA Odette EDIFACT (geplant)	Lieferscheine, Rechnungen, produktionssynchrone Lieferabrufe, Zahlungsavis, grafische Daten	Punkt-zu-Punkt über Telefon, Datex-P und ISDN-Netze
Banken	SWIFT EDIFACT (geplant)	Zahlungsvorgänge	Punkt-zu-Punkt und über VANs
Baustoffe	EDIBDB	Rechnungen, Zahlungsavis	Punkt-zu-Punkt im ISDN-Netz und über Telebox 400
Baustoffhandel	EDIBDB	Bestellungen, Rechnungen, Stammdaten	Punkt-zu-Punkt im ISDN-Netz und über Telebox 400
Bau- und Heimwerker	EANCOM	Bestellungen, Rechnungen, Stammdaten	Telebox 400 und IBM-IE-Netz
Büroartikel	EANCOM	Bestellungen, Rechnungen, Stammdaten	verschiedene VANs
Chemische Industrie	CEFIC	verschiedene Nachrichten	verschiedene VANs
Elektro	EDIFACT EDIFICE	verschiedene Nachrichten	GE- und IBM-Netz
Konsumgüter	SEDAS EANCOM	Rechnungen, Bestellungen, Stammdaten	verschiedene VANs
Maschinenbau	VDA und EDIFACT	verschiedene Nachrichten	Punkt-zu-Punkt über VANs
Möbel	EDIFURN	Bestellungen, Rechnungen und weitere Daten	VANs
Phonoindustrie	eigener EANCOM geplant	Bestellungen, Sonderinformationen	eigener Clearingcenter INOVIS
Sanitär	eigener	Bestellungen, Rechnungen,	Telebox 400 und IBM-IE-Netz
Schloß und Beschlag	eigener	Bestellungen, Rechnungen	Telebox 400 und IBM-IE-Netz
Schmuck und Uhren	EANCOM	Bestellungen, Lieferscheine	Telebox 400
Textil	EDITEX	Bestellungen, Rechnungen, Stammdaten	eigenes Clearingcenter DZE
Transportwesen	eigene, VDA	verschiedene Nachrichten	Punkt-zu-Punkt über VANs
weiße Ware	VDA und EDIFACT	Lieferabrufe, Lieferscheine und weitere Daten	meistens GE-Netz

Bild 6
Die Verbreitung von
EDI in Deutschland

COM-Subset aufsetzen und so kostenintensive Neuentwicklungen sparen. Das führte dazu, das sich momentan eine wahre Flut von Branchenverbänden auf EDI stürzt und in den kommenden Jahren als strategisches Mittel einzuführen gedenkt.

DATACOM • EDI

Innerhalb dieser Branchen wird EDI in den verschiedenen Gliedern der Wertschöpfungskette eingesetzt – zwischen Produzent und Lieferanten, zwischen Hersteller und Handel, zwischen Groß- und Einzelhandel oder jeweils in Verbindung mit den Transportunternehmen. Einen kurzen Überblick über diese Vielfalt von EDI-Verfahren, die sich teilweise schon im produktiven Einsatz befinden, liefert Bild 6.

8. Zusammenfassung

Die derzeitige Zunahme des EDI-Einsatzes bewirkt, daß längerfristig kein Unternehmen ohne EDI auskommen kann, wenn es im nationalen und internationalen Geschäft bestehen will. Ein besonderes Signal setzt der Start der Europäischen Gemeinschaft 1992. In diesem Zusammenhang wird die Tatsache, daß ein heutiger EDI-Teilnehmer sein System jetzt schon mit besonderen Einrichtungen für die parallele Anwendung verschiedener Standards ausrüsten muß, wenn er eine branchenübergreifende Menge von Geschäftspartnern hat, zum Hindernis für den EDI-Einsatz. Es gibt deswegen seit Jahren die Bestrebungen für einen Standard für offenen EDI-Einsatz. Er eröffnet völlig neue Perspektiven, wirft aber auch technische und organisatorische Fragen auf.

Einführung zwischenbetrieblicher Datenkommunikation bereitet klein- und mittelständischen Unternehmen in der Praxis erhebliche Schwierigkeiten. Hierfür sind das hohe Innovationstempo in der Informations- und Kommunikationstechnik sowie das Fehlen methodischer Grundlagen zur schnellen, wirtschaftlichen Einführung ursächlich zu nennen.

Es ist wichtig bei der Einführung von EDI taktische oder strategische Motivation zu erkennen. Dies führt dann dazu, im EDI-Modell die technischen, semantischen und organisatorischen Integrationsbereiche und -aufgaben von verschiedenen Startpunkten aus anzugehen. Das sich dabei ergebende hochkomplexe Umfeld erfordert für eine schnelle, effektive Einführung ein Werkzeug, welches in der Lage ist, betriebliche Funktionen und Datenflüsse auf einer hohen Abstraktionsebene abzubilden. Dabei muß gleichzeitig die Möglichkeit gegeben sein, die Daten bis auf ein einzelnes Zeichen aufzuschlüsseln. Hierzu sind Tools am Markt verfügbar, die jedoch einen erfahren »Bediener« erfordern.

Weitere positive Nebeneffekte ergeben sich für Unternehmen aus der Kenntnis der Datenstrukturen und -flüsse auch für interne Abläufe. Die besondere Chance des strategischen Ansatzes liegt darin, mit einer innovativen Idee auf Kunden einzugehen und damit basierend auf einer eigenen weit fortgeschrittenen Informations- und Kommunikationstechnik den Aufwand für den Betrieb und Ausbau von EDI zu minimieren. Die Risiken bei der Einführung zwischenbetrieblicher elektronischer Datenkommunikation liegen vor allem darin, für jede neue Kommunikationsbeziehung einen individuellen Planungsvorgang durchführen zu müssen, und in dem damit verbundenen schwer schätzbaren Aufwand.

9. Literatur

[1] Alberts, B.: Hardware- und Softwarestrukturen, in Meins, W. (Hrsg.): Handbuch der Fertigungs- und Betriebstechnik; Braunschweig, Wiesbaden 1989

[2] Becker, B.D.; Warnecke,H.-J.: CIM bedarf der Normung, DIN Mitteilungen, Nr.7 (1989), S. 361-367

[3] Beckertus, K.-H.: Wirtschaftsfaktor Informationstechnik, HARVARDmanager Nr.2 (1986), S. 26-33

[4] Bower, J.L.; Hout, T.M.: So sind sie schneller als die Konkurrenz, HARVARDmanager Nr.3 (1989), S. 68 ff.

[5] Eigner, M.; Meyer,H.: Einstieg in CAD, München 1985

[6] Evers, H.: Büronetze, in Geitner, U.W.(Hrsg.): CIM Handbuch; Braunschweig, Wiesbaden 1987

[7] Geitner, U.W.(Hrsg.): CIM Handbuch; Braunschweig, Wiesbaden 1987

[8] Gremminger, K.: Datenbanken und Netze sind Basistechnologien für die Systemintegration, Mega Nr. 30/1987

[9] Grund, K.: Der Faktor Zeit, Hewlett-Packard Novum Nr.3 (1990), S. 3 ff.

[10] Hawlik, R.: Lokale Netzwerkentwicklung wissensbasierter Systeme für die Vorrichtungskonstruktion, RWTH Aachen 1989

[11] Jaspersen, T.: Computergestützes Marketing, München 1994

[12] Meinz, W. (Hrsg.): Handbuch der Fertigungs- und Betriebstechnik; Braunschweig, Wiesbaden 1989

[13] Mertens, P.: Die zwischenbetriebliche Kooperation und Integration bei der automatisierten Datenverarbeitung, Verlag Anton Hain, 1966

[14] Millar, V.E.; Porter M.E.: Wettbewerbsvorteile durch Information, HARVARDmanager Nr.1 (1986), S. 26 ff.

[15] Miska, F.M.: CIM Computer-integrierte Fertigung, 2.Auflage; Landsberg/Lech 1989

[16] Porter, M.E.: Wettbewerbsstrategien, 7.Auflage, Frankfurt 1992

[17] Scheer, A.W.: Information Management bei der Produktentwicklung, Information Management Nr.3 (1989), S. 6 ff.

[18] Scheer, A.W.: Simultane Produktentwicklung, Thexis Nr.4 (1989), S. 58 ff.

[19] Steinbuch, A.: Betriebliche Informatik, 5.Auflage, Ludwigshafen (Rhein) 1990

[20] Tönshoff, H.K.: Forderung der Fertigung an die rechnerintegrierte Konstruktionstechnik, ZWF/CIM (1986) 11, S. 574

[21] Warsch, C.: Planung rechnerunterstützter Kommunikation im Unternehmensverbund, VDI-Verlag Düsseldorf 1992

Deutsche EDI-Gesellschaft e.V. (DEDIG e.V.): Ihre Aufgaben/Ihre Ziele

Christian-Hinrich Dorner

1. Die Aufgaben der DEDIG

Die Deutsche EDI-Gesellschaft wurde im Sommer 1993 durch eine Initiative des Bundesministeriums für Wirtschaft, des Deutschen Industrie- und Handelstages e.V. und des DIN Deutsches Institut für Normung e.V. gegründet. Als Aufgaben der DEDIG sind die Förderung und Unterstützung des elektronischen Datenaustausches (EDI) als Instrument zur Kostenreduzierung, zur Optimierung der Qualität von Geschäftsprozessen und dadurch zur Verbesserung der Wettbewerbsfähigkeit definiert.

DEDIG hat zur Zeit über 50 Mitglieder, die die Bedeutung von EDI bereits erkannt haben und die wissen, wie wichtig es ist, bei der Einführung von EDI einen kompetenten und herstellerneutralen Ansprechpartner zu haben, der für die Belange aller Branchen und Unternehmen aller Größen als integrierende Institution tätig ist. Zu diesen Mitgliedern zählen neben den oben genannten öffentlichen Institutionen u. a. die Daimler Benz AG, die Deutsche Bank AG, die Deutschen Bahnen AG, die Deutsche Bundespost Telekom, die Dresdner Bank AG, IBM Informationssysteme GmbH, Siemens AG, Start Holding AG, Bremer Vulkan Verbund AG und neben verschiedenen Universitäten zahlreiche kleine und mittlere Unternehmen. DEDIG bietet alle wichtigen Informationen zu EDI, EDIFACT und angrenzenden Gebieten durch:

- telefonische und persönliche Beratung,
- Seminare, Tagungen und Kongresse,
- die Veröffentlichung dieser Zeitschrift und eines Newsletters für Mitglieder,
- Vermittlung von Informationen zwischen den Anwendern und
- aktive Mitarbeit in internationalen Gremien.

Die Koordinierungsfunktion in der Normung von EDIFACT umfaßt folgende Aufgaben:

- Überprüfung von Subsets auf Normkonformität,
- Registrierung von Subsets,
- Bekanntmachung der Subsets für interessierte Kreise,
- Beratung von Anwendern bei der Einführung und Entwicklung von Subsets,
- Veranstaltung von Anwenderseminaren mit dem Schwerpunkt: Benutzung und Entwicklung von EDIFACT-Subsets,
- Europäische/Internationale Abstimmung der zur Registrierung eingereichten Subsets.

Diese Leistungen stehen gegen Gebühren, die noch nicht endgültig festgelegt sind und über die wir rechtzeitig berichten werden, allen EDI-Interessenten offen. Mitglieder von DEDIG werden vergünstigte Konditionen in Anspruch nehmen können.

Arbeitskreise, die mit kompetenten Mitarbeitern der DEDIG-Mitgliedsunternehmen besetzt sind, werden die DEDIG-Mitarbeiter bei dieser Aufgabe unterstützen und beraten. Denn der Erfolg dieser koordinierenden Tätigkeit hängt zum größten Teil von der umfassenden Beteiligung aller EDIFACT-Subset-Anwender ab. Daher ist der nächste Schritt, der sich besonders an die Mitglieder von DEDIG, aber auch an alle anderen Interessenten, die EDIFACT zum Durchbruch verhelfen wollen, wendet, die bis jetzt eingesetzten oder geplanten Subsets bei DEDIG überprüfen und registrieren zu lassen.

Es wird für alle EDIFACT-Benutzer von Vorteil sein, wenn die Zahl der eingesetzten Subsets nicht größer als unbedingt erforderlich ist und die Qualität zu 100 % der Norm entspricht. DEDIG wird die registrierten Subsets in den internationalen Gremien zur Diskussion stellen und auch mit den EDI-Schwesterngesellschaften in den Nachbarländern abgleichen.

Wir haben dort bereits die Bereitschaft zur Zusammenarbeit gefunden, da eine Anzahl von Subsets auch für den internationalen elektronischen Datenaustausch dient. Ob darüber hinaus auch eine weltweite Koordinierung von Subsets erforderlich ist, werden nicht zuletzt auch die Erfordernisse der Benutzer zeigen.

2. Warum EDI ?

In den letzten Jahren hat die Geschäftswelt eine Reihe von Strategien eingeführt, um die Produktivität zu steigern; dazu gehören »Just-in-Time« (JIT)-Herstellung, »Quick Response« (QR) im Einzelhandel und computergestützte Akquisition und logistische Unterstützung (CALS). Wenn auch diese Strategien die verschiedenen Geschäftsbelange unterschiedlicher Industriezweige betreffen, so ist doch der Grund, eine oder mehrere von ihnen anzuwenden, immer derselbe: Alle öffentlichen und privaten Organisationen sind bestrebt, ihre Arbeit effizienter zu gestalten.

Das Erreichen von Effizienz am Arbeitsplatz hatte immer schon Vorrang. Heutzutage, angesichts des großen Wettbewerbs auf dem Weltmarkt, ist sie ein Muß geworden. Um diese Effizienz zu erreichen, müssen Organisationen und Unternehmen ihre Geschäftsprozesse rationalisieren. Dies beinhaltet die Eliminierung aller Prozeduren, die nicht zur Wertschöpfung beitragen.

Ein Beispiel: Einige Unternehmen vertreten die Auffassung, daß Rechnungen (manuell oder elektronisch) für den Geschäftsprozeß wertlos sind, da die Information, die die Rechnung enthält, genau die ist, die sich in der Liefermeldung wiederfinden. Durch das Hinzufügen einiger Daten auf dem Lieferschein eliminiert man die Notwendigkeit einer Rechnung.

Der größte Nutzen hierbei ist aber die Gelegenheit, Geschäftsprozesse zu optimieren. Das Lieferdokument stößt den Zahlungskreislauf an und basiert auf dem Konzept »Zahlung nur für erhaltene Ware«. Ein weiterer Vorteil dieses Vorgehens ist die Tatsache, daß nun Rechnungen nicht länger mit den Bestellungen zu vergleichen sind – ein Vorgang, der lange dauert, aber nicht zum Wertschöpfungsprozeß beiträgt.

Um heutzutage Gewinne zu erzielen, müssen Verwaltungskosten reduziert werden. Unternehmen haben festgestellt, daß der beste Weg, dies zu tun, der Abbau der Papierberge und der redundanten Geschäftsvorgänge ist, die die Papierberge entstehen lassen.

Eine Vielzahl multinationaler und großer regionaler Unternehmen sind dabei, EDI einzuführen, und werden in Kürze von allen Geschäftspartnern erwarten, daß diese EDI-fähig sind. Wenn EDI in den Ablauf von Geschäftsprozessen integriert ist, wird er nichts weiter sein als eine der »Bedingungen« für Geschäftstransaktionen.

Die Einführung von EDI, ebenso wie die anderer technologischer Fortschritte unseres Jahrhunderts – Telefon, Telefax, Mikrofilm, Computer – bringt Änderungen mit sich. Sie ändert die Denkensweise von Menschen ebenso wie sie Geschäftsprozesse ändert und die Art, mit der Unternehmen miteinander kommunizieren.

Die Gründe für die Einführung von EDI sind im allgemeinen:

– Erhaltung und Steigerung der Wettbewerbsfähigkeit,
– Wertsteigerung bei Produkten und Dienstleistungen (z. B. verbesserter Kundendienst),
– Reduzierung der Verwaltungskosten,
– verbesserte Lagerkontrolle,
– strategischer Nutzen durch die Einfügung von EDI-Daten in den Informationsfluß.

Es gibt sogar noch zwingendere Gründe, EDI international anzuwenden. Diese liegen in der Komplexität der Anforderungen an Handelsdokumente und in komplexen Geschäftsverbindungen. Internationaler Handel schließt im allgemeinen Speditionen, Makler, Banken, Versicherungen, Zollbehörden und andere Regierungsinstitutionen ein. Die Daten, die zu Beginn an den einen Partner weitergegeben werden, werden normalerweise von allen anderen beteiligten Parteien ebenfalls benötigt. EDI ermöglicht allen Beteiligten, die Ursprungsdaten auszutauschen, ohne daß diese nochmals manuell oder elektronisch eingegeben werden müssen und reduziert so Zeitaufwand und Fehler.

Die Schätzungen sind unterschiedlich, aber bei einem einzigen Versand von Waren können bis zu 28 unterschiedliche Organisationen mit bis zu 40 Transaktionen, die dokumentiert werden müssen, beteiligt sein: Seefrachtbrief, Akkreditive von Banken an Exporteure, Manifest etc. Es gibt Schätzungen, die besagen, daß bis zu 8 % der Gesamtkosten einer internationalen Versendung durch die Erstellung von Papieren verursacht werden.

Fehler sind ein weiterer Aspekt. Ungefähr die Hälfte aller Akkreditive enthalten Schreibfehler. Fehler in Handelsdokumenten können die

Verschiffung verzögern, zusätzliche Lagerkosten verursachen oder die Herstellung und Verteilung von Waren negativ beeinflussen.

3. EDI und UN/EDIFACT

Um die Bedeutung von UN/EDIFACT verständlich zu machen, soll hier zunächst ein kurzer Überblick über die Entwicklung von EDI gegeben werden. Eigentlich ist EDI nichts Neues. Vor mehr als 30 Jahren, als die Transport-Industrie nach einem Weg suchte, der Papierberge Herr zu werden, wurde mit dem elektronischen Datenaustausch begonnen.

EDI wurde aus dem Bestreben der Unternehmen, unter der Nutzung moderner Informationstechnologien effizient miteinander zu kommunizieren, entwickelt. Es gibt zwei Formen der traditionellen Geschäftskommunikation: unstrukturierte (z. B. Nachrichten, Notizen, Briefe) und strukturierte (z. B. Bestellungen, Lieferscheine, Rechnungen, Zahlungen). EDI deckt den Bereich der strukturierten Daten ab, wohingegen »Elektronische Post« sich mit der unstrukturierten Kommunikation befaßt.

In einer strukturierten Nachricht, wie z. B. der Bestellung, haben die Daten ein einheitliches Format, das sich nach einem vereinbarten Standard richtet. So wird der elektronische Austausch von einem Computer zum anderen vereinfacht. Das Ziel ist, einen interventionslosen Vorgang zu erreichen, der den Austausch von Geschäftsdaten zwischen Handelspartnern ermöglicht.

Frühe EDI-Implementierungen benutzten Formate, die für die Anforderungen einzelner Unternehmen entwickelt wurden. Es dauerte nicht lange, bis die Anwender die Grenzen solcher Insellösungen erkannten. Daher wurden Industrie-Standards entwickelt, die die Anforderungen größerer Anwendergruppen abdeckten. Dennoch wurden Unternehmen, die branchenübergreifend arbeiteten, immer noch mit Hindernissen konfrontiert. So wurde die Notwendigkeit eines nationalen Standards erkannt.

Im Jahr 1985 gab es zwei Standards, die weit verbreitet waren: ANSI X12 in Nordamerika und GTDI in Europa. Obwohl diese Standards im allgemeinen die nationalen Anforderungen abdeckten, entstanden durch ihre parallele Existenz Probleme im internationalen Handel. Bei einem Treffen der Arbeitsgruppe für die Vereinfachung von Handlungsverfahren der Vereinten Nationen (UN/ECE/WP.4) brachten verschiedene Länder dieses Problem zur Sprache.

Daraufhin akzeptierte die UN/ECE im Jahr 1986 das Acronym »UN/EDIFACT« für einen internationalen, branchenübergreifenden Standard. UN/EDIFACT bedeutet ausgeschrieben: United Nations/Electronic Data Interchange for Administration, Commerce and Transport (Vereinte Nationen/Elektronischer Datenaustausch für Verwaltung, Wirtschaft und Transport). Das Konzept ist einfach: Ein einziger internationaler Standard für den elektronischen Datenaustausch, der flexibel genug ist, um die Anforderungen sowohl der privaten Industrie als auch der Verwaltung abzudecken. Das Erreichen dieses Ziels ist jedoch alles andere als einfach.

Im Jahr 1987 gab es drei Ereignisse, die den offiziellen Beginn der UN/EDIFACT-Entwicklung markierten: Die UN/ECE nominierte UN/EDIFACT-Rapporteure für Nordamerika, West- und Ost-Europa. Die UN/EDIFACT-Syntax wurde von ISO und UN/ECE verabschiedet und die erste Nachricht (Rechnung/INVOIC) zur probeweisen Anwendung freigegeben.

Der UN/EDIFACT-Prozeß hat sich weiter entwickelt. Seit den Anfängen ist das nordamerikanische Board zum panamerikanischen erweitert worden, und es gibt drei weitere EDIFACT-Gebiete: Australien/Neuseeland, Asien und Afrika, und zahlreiche Länder schließen sich fortwährend bereits existierenden Regionen an. Die Anzahl der Nachrichten ist beträchtlich gestiegen und bietet so der Geschäftswelt einen einsetzbaren Standard an.

4.   Was ist eine UN/EDIFACT-Nachricht ?

Anfang der 70er Jahre empfahl die UN/ECE (im »ECE Layout für Handelsdokumente«, bekannt als UN Layout Key) den weltweiten Gebrauch eines einheitlichen Layouts für die verschiedenen im internationalen Geschäft eingesetzten Dokumente. Die Darstellung dieser Dokumente in elektronischer Form hat denselben Grundgedanken.

EDIFACT besteht aus einer Sammlung von Regeln zur Strukturierung von Informationen, die von einem Computer direkt zu einem anderen geleitet werden – genau wie die gesprochene Sprache Wörter und Sätze so strukturiert, daß sie dem Zuhörer verständlich sind. Wörter in einem Satz entsprechen Datenelementen, die Sätze selbst entsprechen den Segmenten und alles zusammen stellt die gesamte Nachricht dar. Nehmen wir als Beispiel eine Rechnung zwischen zwei Betrieben: Das Papierdokument enthält Informationen wie Name und Adresse des Verkäufers und des Käufers, Transport-Referenzangaben, Transportdetails, Menge, Preis usw. Die unterschiedlichen Segmente der EDI-FACT-Nachricht sind mehr oder weniger mit diesen Punkten vergleichbar.

Das Segment NAD zum Beispiel bezeichnet Name und Anschrift. Es enthält alle Informationen, um die beteiligten Partner zu identifizieren. Diese Information muß durch die festgelegte Reihenfolge der Datenelemente strukturiert werden. Diese Datenelemente sind die kleinsten inhaltlichen Einheiten der Nachricht – eine Telefon- oder Kontonummer zum Beispiel oder der Name eines Betriebs.

Das erste angezeigte Datenelement ist der Segment-Qualifier. Es zeigt zum Beispiel an, ob es sich um Name und Anschrift des Verkäufers, Käufers oder Transportunternehmens handelt. Dieses Datenelement wird einfaches Datenelement genannt, weil es nur eine einzige Information enthält. Dann folgt ein Identifizierungscode. Es ist ein Element, das zwei zusammengehörige Informationen enthält, es handelt sich um eine Datenelement-Gruppe. Und schließlich kommen Name und Anschrift. Es gibt zwei Arten, sie zu schreiben: Sie können hintereinander in einer Datenelement-Gruppe dargestellt werden (unstrukturiert wie im Adreßfeld) oder als verschiedene, einzelne Datenelemente (strukturiert).

All diese Datenelemente werden in Listen oder Handbüchern geführt und genau beschrieben. Diese Beschreibungen beziehen sich einerseits auf die Feldlänge der Elemente, andererseits darauf, ob sie obligatorisch oder falkutativ einzusetzen sind. Sie werden gekennzeichnet mit M, wenn sie obligatorisch sind, mit C, wenn sie konditional sind. Datenelemente können in unterschiedlichen Formen dargestellt werden, alphabetisch, als Zahlen oder als Kombination von beiden. AN3 z. B. bedeutet, daß das Datenelement aus drei alphanumerischen Zeichen besteht.

Das selbe Segment kann in verschiedenen Nachrichten vorkommen. Innerhalb einer Nachricht sind Segmente zu Gruppen angeordnet, die größere Funktionsgruppen beschreiben, wie z. B. Lieferinformationen. Nachrichten können dann wiederum in drei Gruppen aufgeteilt werden:

– Der Kopfteil enthält Informationen, die für die gesamte Nachricht gelten.

– Der Positionsteil enthält Informationen, die wiederholt werden können, wie z. B. Produktbeschreibungen.

– Der Summenteil enthält Informationen, wie z. B. Kontrollzahlen und Summen.

Alle UN/EDIFACT-Nachrichten im Überblick

Version: März 1994 (A)

Messages		Status
APERAK	Application Error and Acknowledgement Message	0
AUTHOR	Authorisation Message	0
BALANC	Trial Balance	0
BANSTA	Banking Status Message	1
BAPLIE UNSM	Bayplan / Stowage Plan -	
	Occupied and Empty Locations Message	2
BAPLTE UNSM	Bayplan / Stowage Plan –	
	Total Numbers Message	2
BOPBNK	Reporting of Banks Transactions and	
	Portfolio Transactions	0
BOPCUS	Reporting of the Balance of Payment	
	from Customer Transactions	0

Messages		Status
BOPDIR	Direct Balance of Payment Declaration	0
BOPINF	Balance of Payment Information from Customer	0
BOPSTA	Exchange of Balance of Payment Statistics	0
CALINF	Call Info Message	0
CASINT	Case Initiation (Request for Legal Action)	0
CASRES	Case Response (Legal Response)	0
CHACCO	Chart of Accounts	0
CLAREQ	Classification General Request	0
CLASET	Classification Information Set	0
COACOR	Container Acceptance Order	0
COARCO	Container Arrival Confirmation	0
COARIN	Container Arrival Information	0
COARNO	Container Arrival Notice	0
COARRI	Container Arrival Message	0
CODECO	Container Departure Confirmation	0
CODENO	Container Customs Documents Expiration Notice	0
CODEPA	Container Departure Message	0
COEDOR	Empty Container Disposition Order	0
COHAOR	Container Special Handling Order	0
COITON	Container Inland Transport Order Notice	0
COITOR	Container Inland Transport Order	0
COITOS	Container Inland Transport Order Response	0
COITSR	Container Inland Transport Space Request	0
COLADV	Advice of a Documentary Collection	0
COLREQ	Request for a Documentary Collection	0
COMCON *	Component Parts Content Message	0
COMDIS	Commercial Dispute Message	0
CONAPW	Advice on Pending Works	0
CONDPV + UNSM	Direct Payment Valuation Message	2
CONDRA	Drawing Administration	0
CONDRO	Drawing Organisation	0
CONEST + UNSM	Establishment of Contract Message	2
CONITT + UNSM	Invitation of Tender Message	2
CONPVA + UNSM	Payment Valuation Message	2
CONQVA + UNSM	Quantity Valuation Message	2
CONRPW	Response on Pending Works	0

Messages		Status
CONTEN + UNSM	Tender Message	2
CONWQD	Work Item Quantity Determination	0
COOVLA	Container Overlanded Message	0
COPARN	Container Prearrival Notice	0
COPDEM	Container Predeparture with Guidelines Message	0
COPINF	Container Pick-up Information	0
COPINO	Container Pick-up Notice	0
COPRAR	Container Prearrival Message	0
COPRDP	Container Predeparture Message	0
COREOR	Container Release Order	0
COSHLA	Container Shortlanded Message	0
COSTCO	Container Stuffing Confirmation	0
COSTOR	Container Stuffing Order	0
CREADV UNSM	Credit Advice Message	2
CREEXT UNSM	Extended Credit Advice Message	2
CREMUL	Multiple Credit Advice	0
CURRAC	Current Account Message	0
CUSCAR UNSM	Customs Cargo Report Message	2
CUSDEC UNSM	Customs Declaration Message	2
CUSEXP	Customs Express Consignment Declaration Message	0
CUSREP UNSM	Customs Report Message	2
CUSRES UNSM	Customs Response Message	2
DEBADV UNSM	Debit Advice Message	2
DEBMUL	Multiple Debit Advice	0
DELFOR + UNSM	Delivery Schedule Message	2
DELJIT UNSM	Delivery Just In Time Message	2
DESADV + UNSM	Despatch Advice Message	2
DESTIM	Equipment Damage/Repair Estimate Message	0
DIRDEB	Direct Debit Message	1
DIRDEF	Directory Definition Message	0
DOCADV	Documentary Credit Advice	1
DOCAMA	Advice of an Amendment of a Documentary Credit	0
DOCAMD	Direct Amendment of a Documentary Credit	0
DOCAMI	Documentary Credit Amendment Information	0

Messages			Status
DOCAMR		Request for an Amendment of a Documentary Credit	0
DOCAPP		Documentary Credit Application Message	1
DOCARE		Response to an Amendment of a Documentary Credit	0
DOCINF		Documentary Credit Insurance Information	1
DOCISD		Direct Documentary Credit Issuance	0
DOCTRD		Direct Transfer of a Documentary Credit	0
DOCTRI		Documentary Credit Transfer Information	0
DOCTRR		Request to Transfer a Documentary Credit	0
ENTREC		Accounting Entries	0
FINCAN		Financial Cancellation Message	0
FINSTA		Financial Statement	0
FUNACK		Functional Acknowledgement	0
GATEAC		Gate and Intermodal Ramp Activities Message	0
GENRAL		General Purpose Message	0
GESMES		Generic Statistical Message	0
HANMOV		Cargo/Goods Handling and Movement Message	0
ICNOMO		Insurance Claims Notification Message	0
IFCSUM	UNSM	International Forwarding and Consolidation Summary Message	2
IFTCCA	o	International Forwarding and Transport Shipment Charge Calculation Message	1
IFTDGN		Dangerous Goods Notification Message	0
IFTFCC		International Freight Costs and Other Charges	0
IFTIAG	*	Dangerous Cargo List Message	0
IFTMAN	UNSM	Arrival Notice Message	2
IFTMBC	UNSM	Booking Confirmation Message	2
IFTMBF	UNSM	Firm Booking Message	2
IFTMBP	UNSM	Provisional Booking Message	2
IFTMCS	UNSM	Instruction Contract Status Message	2
IFTMIN	UNSM	Instruction Message	2
IFTRIN	o	International Forwarding and Transport Rate Information	1
IFTSAI	o	International Forwarding and Transport Schedule and Availability Information	1

Messages		Status
IFTSTA	International Multimodal Status Report Message	1
IFTSTQ	International Multimodal Status Request	0
INFENT	Enterprise Information	0
INSPRE	Insurance Premium Message	0
INVOIC UNSM	Invoice Message	2
INVRPT + UNSM	Inventory Report	2
ITRGRP	In Transit Groupage Message	0
ITRRPT	In Transit Report Detail Message	0
JAPRES	Job Application Result Message	0
JIBILL	Joint Interest Billing Report Message	0
JINFDE	Job Information Demand Message	0
JOBAPP	Job Application Proposal Message	0
JOBCON	Job Offer Confirmation Message	0
JOBMOD	Job Offer Modification Message	0
JOBOFF	Job Offer Message	0
MEDPID	Patient Identification Details	0
MEDPRE	Medical Prescription Message	0
MEDREQ	Medical Service Request Message	0
MEDRPT	Medical Service Report Message	0
MEDRUC	Medical Resource Usage/Cost Message	0
MOVINS	Stowage Instruction Message	0
ORDCHG + UNSM	Purchase Order Change Message	2
ORDERS UNSM	Purchase Order Message	2
ORDRSP + UNSM	Purchase Order Response Message	2
OSTENQ *	Order Status Enquiry Message	0
PARTIN UNSM	Party Information Message	
	(Trading partner profile data)	2
PAXLST + UNSM	Passenger List Message	2
PAYDUC + UNSM	Payroll Deductions Advice Message	2
PAYEXT UNSM	Extended Payment Order Message	2
PAYMUL	Multiple Payment Order Message	1
PAYORD UNSM	Payment Order Message	2
PRICAT	Price/Sales Catalogue Message	1
PRODAT *	Product Data Message	0
PRODEX	Product Exchange Message	0
PROTAP *	Project Tasks Planning Message	0

Messages		Status
PRPAID	Insurance Premium Payment Message	0
QALITY UNSM	Quality Data Message	2
QUOTES UNSM	Quote Message	2
RDRMES *	Raw Data Reporting Message	0
REACTR	Equipment Reservation, Release, Acceptance and Termination Message	0
RECADV	Receiving Advice Message	0
RECECO	Credit Risk Cover Message	0
RECLAM *	Reinsurance Claims Message	0
REINAC	Reinsurance Account Message	0
REMADV UNSM	Remittance Advice Message	2
REQDOC	Request for Document	0
REQOTE UNSM	Request for Quote Message	2
RESETT *	Reinsurance Settlement Message	0
RESMSG	Reservation Message	0
RESREQ *	Travel, Tourism and Leisure Reservation Request Interactive Message	0
RESRSP *	Travel, Tourism and Leisure Reservation Response Interactive Message	0
RETACC *	Reinsurance Technical Account Message	0
SAFHAZ	Safety and Hazard Data Sheet	0
SANCRT o	Sanitary/Phytosanitary Certificate	1
SLSFCT	Sales Forecast Message	0
SLSRPT	Sales Data Report Message	1
SSIMOD	Modification of Identity Details Message	0
SSRECH	Workers Insurance History Message	0
SSREGW	Notification of Registration of a Worker	0
STATC UNSM	Statement of Account Message	2
SUPCOT + UNSM	Superannuation Contributions Advice Message	2
SUPMAN + UNSM	Superannuation Maintenance Message	2
SUPRES	Supplier Response Message (Reservation Response Message)	0
TANSTA *	Tank Status Report Message	0
TESTEX	Test Message Explicit Mode	0
TESTIM	Test Message Implicit Mode	0
VESDEP	Vessel Departure Message	0

Messages		Status
WKGRDC	Work Grant Decision Message	0
WKGRRE	Work Grant Request Message	0

Status:

0 = Draft Document,   1 = Draft Recommendation,   2 = Recommendation

Explanation: * new Status 0 Message

              o new Status 1 Message

              + new Status 2 Message

Totals: 122 Messages at Status 0

              13 Messages at Status 1

              42 Messages at Status 2

              _____

              177 Messages

              ==================

Remark:

The CONTRL message was excluded from this list.

CONTRL is part of the UN/EDIFACT syntax in the future.

A new version of the CONTRL message was approved.

5. Die internationalen Aufgaben von DEDIG

Die EDIFACT-Interessen der Bundesrepublik Deutschland werden in mehreren internationalen Gremien vertreten. Einige dieser Aufgaben wurden in der jüngsten Vergangenheit neu definiert, andere müssen in Zukunft noch umstrukturiert werden.

Im wesentlichen gibt es folgende internationale Institutionen:

– WE/EB: Western European/EDIFACT Board,
– UN/ECE/WP.4: Wirtschaftskommission der UNO für Europa, Working Party 4,
– CEN:Europäische Normungsinstitution,

- ISO: Internationale Normungsinstitution,
- EUROPRO: Europäischer Zusammenschluß der PRO-Organisationen.

Die Teilnehmer der beiden ersten Gremien werden von dem Bundesministerium für Wirtschaft direkt oder indirekt über die Vertreter des Außenministeriums nominiert, wobei die Vertretungen in der UN/ECE/WP.4 und deren Untergruppen GE.1 und GE.2 zwischen dem DIHT (Deutscher Industrie und Handelstag), der die Funktionen der DEUPRO übernimmt, und der DEDIG aufgeteilt werden und sich neu darstellen. In der Übereinkunft, die vom BMWi festgelegt wurde, wird bestätigt, daß alle EDI-relevanten Belange von der DEDIG international vertreten werden. Alle anderen Gebiete politisch-grundsätzlicher Natur, die nicht EDI betreffen, werden auf den Sitzungen der UN/ECE von DEUPRO/DIHT vertreten werden. Deutschland wird daher in Zukunft auch in der Delegationsleitung sowohl von DEDIG als auch von DIHT/DEUPRO vertreten sein. In den Expertengruppen GE.1 und GE.2 erfolgt die Aufteilung entsprechend, DEDIG übernimmt alle Belange von EDI in der Expertengruppe GE.1 und DIHT/DEUPRO die Vertretungsfunktionen in GE.2.

Diese Aufteilung der Verantwortung gilt auch entsprechend für die Beziehungen zu EUROPRO und den anderen nationalen europäischen PRO-Organisationen, wie zum Beispiel AUSTRIAPRO, wo DEDIG die deutschen EDI-Interessen vertreten wird.

Aufgrund dieser Übereinkunft erfolgt dann auch wie schon bisher die Vertretung im WE/EB durch die DEDIG sowie eine Beteiligung an den Arbeiten dessen Management Bureaus, das direkt dem Chairman untersteht.

Die relativ komplizierten Beziehungen der einzelnen Gremien sind in Bild 1 dargestellt, die jedoch noch nicht die Vertretung der nationalen und internationalen Normungsgremien gegenüber den EDI-Gremien enthält. Diese – im deutschen Falle der DIN/NBü.3 – entsenden Vertreter in die (jetzt) zwölf MD- und andere Arbeitsgruppen der internationalen EDIFACT-Organisation.

Eine Einbeziehung der internationalen Normungsgremien CEN und ISO in die Arbeit der EDIFACT-Normung ist in Vorbereitung. Besonders auf europäischer Ebene ist durch intensive Zusammenarbeit zwischen dem WE/EB, der EG und dem CEN eine Integration vorgesehen.

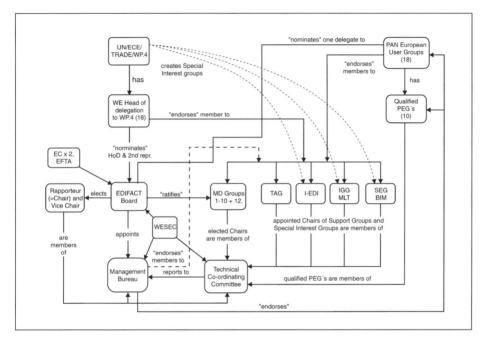

Zu diesem Zweck wurde unter anderem eine »CEN High Level Group« gebildet, in der Herr Gruener von Daimler-Benz Deutschland vertritt und durch die EG beauftragt ist, einen Bericht zu erstellen, der sich mit folgenden Punkten beschäftigt:

Bild 1
Western European EDIFACT Organisation

– Wieviel Standardisierung ist zur kosteneffizienten Benutzung von EDI in der Europäischen Gemeinschaft erforderlich ?

– Welche Art von Struktur und Koordinationsmechanismus entspricht diesem Bedürfnis am besten, auch unter Berücksichtigung der internationalen Beziehungen ?

Dieser Bericht soll Mitte 1994 in abgestimmter Form vorliegen und die weitere Zukunft des WE/EB und auch dessen Finanzierung bestimmen. Besonders in Anbetracht der auslaufenden Mittel für die Finanzierung des Sekretariats des WE/EBs (WESEC), die bisher über TEDIS liefen, ist diese Arbeit von großer Bedeutung.

6. Literatur

[1] Dolling, M.(Hrsg.): EDI und EDIFACT für Einsteiger. DEDIG Deutsche EDI Gesellschaft e.V., Berlin 1994

[2] Dolling, M. (Hrsg.): Mehr über EDI und EDIFACT. DEDIG Deutsche EDI Gesellschaft e.V., Berlin 1994

[3] Deutsche EDI-Gesellschaft e.V. (DEDIG e.V.): Ihre Aufgaben/ Ihre Ziele

Mit EDIFACT in die Zukunft: Das Kommunikationskonzept bei Langnese-Iglo

Jürgen Brammertz

Das Thema EDI/EDIFACT wurde seitens Langnese-Iglo in den vergangenen Jahren immer wieder betrachtet. Gründe hierfür waren z. B.

– Intensivierung der internationalen Verflechtungen der Unilever-Gesellschaften untereinander im Hinblick auf den Aufbau Europäischer Produktionsstätten« im Rahmen des gemeinsamen Marktes (EG '93),

– Bemühungen des Konzerns zur internationalen Harmonisierung von Produktcodes (Common Coding),

– Aufbau eines internationalen Kommunikationsnetzes für den Unilever-Konzern,

– Einbindung externer Partner.

Letzter konkreter Anstoß für die erneute Beschäftigung mit EDIFACT war jedoch die Entscheidung von Langnese-Iglo zur Neustrukturierung der Fertigwarenlogistik. Im Zuge dieser Neuausrichtung der Logistikaktivitäten galt es nunmehr, ein zukunftsweisendes Kommunikationskonzept zu entwickeln, welches langfristig den Anforderungen unserer internen Belange als auch denen der externen Partner gerecht wird.

In dem zu erstellenden Konzept waren die Lösungsszenarien so offen und flexibel zu gestalten, daß alle heute und zukünftig in Betracht kommenden Kommunikationspartner in das Gesamtkonzept integriert werden können.

Bei den zu erarbeitenden Lösungsalternativen zur Realisierung von EDI mit EDIFACT waren folgende Prämissen zu berücksichtigen:

– Generell soll EDI zum Austausch von Geschäftsdokumenten innerhalb der Langnese-Iglo-Welt eingesetzt werden.

- Als Netzwerkprotokoll für die nationalen Verbindungen der Standorte untereinander ist X.25 einzusetzen.

- Im Bereich der technischen Netzinfrastruktur ist der Einsatz von DECnet als lokalem Kommunikationsprotokoll zu beachten.

- Ein 24-Stunden-Betrieb muß an sieben Tagen in der Woche gewährleistet sein.

- Hohe Anforderungen werden an die Ausfallsicherheit der Rechnerverbindungen im Rahmen von KOALA (Kommunikations-Architektur Langnese) gestellt.

- Bei der Auswahl der Übertragungsnorm für die Inhouse-Strukturen innerhalb der Langnese-Iglo-Welt sollte eine internationale und branchenübergreifende Norm zum Einsatz kommen. Zum einen, um innerhalb der Langnese-Iglo-Welt den Aufbau von Insellösungen zu vermeiden, zum anderen, um gegenüber den anderen externen Kommunikationspartnern eine offene und damit ausbaufähige Lösung einzusetzen.

- Es war darzustellen, inwieweit die Nutzung von Standardnachrichten (UN/EDIFACT, SEDAS, SINFOS) zur Abbildung der Langnese-Iglo-eigenen Inhousestrukturen sinnvoll erscheint. Hierbei war neben den Übertragungsgeschwindigkeiten in Abhängigkeit von Netzen und Protokollen auch der Einsatz von OSI-Kommunikation (X.400, FTAM) zu untersuchen.

Weitere Anforderungen ergaben sich aus der Zielsetzung, das EDI-System als allgemeinen Kommunikationsserver für EDIFACT, ODA, E-Mail etc. nutzen können. Zur Prüfung der komplexen Anforderungen wurde eine Feasibility Study über den Einsatz von EDI/EDIFACT in Auftrag gegeben, die über folgende Punkte Klarheit schaffen sollte:

- Einsatz von EDIFACT als Standard, auch für die Langnese-Iglo interne Kommunikation,
- Kosten (Investitionskosten, laufende Kosten),
- Hard-/Software-Alternativen,
- Realisierungszeitraum,
- Erstellung eines Testkonzeptes.

Zur Durchführung der Analyse wurde ein Projektteam aus je zwei Mitarbeitern des IT-Bereiches in Langnese-Iglo und der Firma LION EDInet, Gesellschaft für Kommunikation mbH, Köln, gebildet.

Eine wesentliche Aufgabe des Teams bestand darin, die Informations- und Kommunikationsströme zwischen den am Logistik-Prozeß beteiligten Stellen möglichst genau zu erfassen und zukünftige Anforderungen zu definieren. Daraus abgeleitet wurden sogenannte »Nachrichtentypen«, die signifikant für die Abwicklung der »Logistic Operation« sind (z. B. Anfragen, Aufträge, Auftragsbestätigungen, Storno, Rückmeldungen, Lagerbewegungen, Produktionsfertigmeldungen, Lieferscheine, Frachtdaten, Fakturierdaten, Stammdaten).

Die Analyse, die zunächst im Rahmen der Feasibility-Study erstellt wurde, hatte folgendes Ergebnis:

– Alle zu übermittelnden »Telegramme« können in dem von EDIFACT vorgegebenen Nutzdatenrahmen abgebildet und umgesetzt werden.

– Der Einsatz von OSI-Kommunikationsprotokollen ist möglich und sinnvoll.

– EDIFACT gewinnt innerhalb der LI-/Unilever-Kommunikationsstrategie zunehmend an Bedeutung.

– Für die Realisierung sind die durch das Logistikprojekt vorgegebenen Termine für alle Phasen einzuhalten.

– Ein umfassendes Backup-Konzept für die Kommunikation der internen Teilnehmer untereinander sowie zu den übrigen Partnern wurde erarbeitet und in das Gesamtkonzept integriert.

Vom Projektteam wurden mehrere Hard- und Softwarealternativen geprüft, insbesondere die Frage einer Host- oder Workstationlösung für das EDI-Produktivsystem. Die abschließenden Empfehlungen der Studie lauteten:

– Einsatz von EDIFACT für die gesamte Rechnerkommunikation im Rahmen des Logistikprojektes.

- Integration der EDI-Funktionalitäten je Lokation in ein zentrales EDI-Gateway als Server-Lösung unter UNIX.

- Integration in die bestehende Netzwerktopologie gemäß KOALA II für die interne Kommunikationsanbindung.

- Transport der EDIFACT-Nachrichten über X.25 für die externe Kommunikation.

- Einsatz des herstellerunabhängigen OSI-Kommunikationsverfahrens X.400 für den Bereich der externen Rechnerverbindungen.

Die Verwendung von EDIFACT-Nachrichten hat den Vorteil, daß keine neuen Nachrichten entwickelt werden müssen. Branchensubsets wurden bei der Zuordnung nicht berücksichtigt, da externe Firmen aufgrund der Langnese-Iglo-spezifischen Inhousestruktur im ersten Schritt nicht vom Datenaustausch betroffen sind.

Die von Langnese verwendeten 23 Nachrichtentypen betreffen im wesentlichen Bestellungen, Warenavise, Warenlieferungen sowie Artikelstammdaten. Folgende sechs UN/EDIFACT-Nachrichtentypen wurden für die Abbildung der 23 verschiedenen Nachrichtentypen verwendet: DESADV (Liefermeldung), ORDERS (Bestellung), ORDCHG (Bestelländerung), PRICAT (Preiskatalog/Artikelstammdaten), IFTMIN (Transport-/Speditionsauftrag), CONTRL (Kontrollnachricht).

Als typisches Beispiel für eine EDIFACT-Nachricht soll hier die Liefermeldung (Avis) dargestellt werden. Mit dem Avis werden dem Lagerverwaltungsrechner Ladeeinheiten avisiert und die auf den Paletten befindliche Ware spezifiziert. Das Avis enthält die kompletten Informationen über Herkunft, Art, Umfang und Verwendungsmöglichkeiten der auf der Palette befindlichen Ware.

Das Avis wird zunächst zwischen Produktionsstätte und Lager eingesetzt. Beim Eintreffen der Fertigware im Lager liegen bereits alle für die Einlagerung erforderlichen Daten vor. Somit können die entladenen Paletten ohne weitere Erfassung von Daten eingelagert werden. Der besondere Vorteil des Einsatzes von EDIFACT – im Vergleich zu einem herkömmlichen »Inhouse-Format« – bereits bei internen Verbindungen wird bei der späteren Integration externer Partner deutlich:

Lieferanten und Co-Packer können für den Versand der Avis-Daten-sätze ihrer anzuliefernden Ware den bereits im Einsatz befindlichen genormten übergreifenden Standard verwenden. Mit dem Einsatz des herstellerunabhängigen OSI-Protokolls X.400 wird die Datenübertra-gung zwischen Rechnertypen verschiedener Hersteller ohne Einsatz besonderer Gateways ermöglicht.

Das nachfolgende »Telegramm« für das Avis entspricht den Funktio-nen der EDIFACT-Nachricht DESADV (Liefermeldung/Despatch Advice Message).

Zuordnung der Datenelemente

Inhouse-Datenelemente: Länge		EDIFACT-Datenelemente: Länge	
LE-Nummer	18	EQD, Lademittelnr.	17(18)
Lieferscheinnummer	10	RFF, Referenznr.	35
Artikelnummer	13	LIN, Warennr.	35
Artikelversionsnummer	02	LIN, Warennr.	35
Menge	06	QTY, Menge	15
Chargenkennzeichnung	10	PIA, Warennr.	35
Produktionsdatum	06	DTM, Datum,	35
MHD	08	DTM, Datum	35
Verwendungskennzahl	02	FTX, Text	70
Lagenkennzeichen	01	FTX, Text	70
Sperrstatus	01	FTX, Text	70
Sperrgrund	02	FTX, Text	70
LHM	02	EQD, Lademittel Qualifer	03
LI-Auftragsnummer	10	RFF, Referenznr.	35

Aus Kommunikationssicht bildet der MTA (Message Transfer Agent) die Basis des Systems.

Der MTA ist via X.25 an den ADMD (Administration Management Domain) der Telekom, die Telebox-400, angebunden sowie an andere direkt erreichbare PRMDs (Private Management Domain).

Das EDI-Server-System, der TIGER, kommuniziert auf der einen Seite mit dem MTA, inhouseseitig stellt es eine Verbindung zu dem jeweiligen Hostsystem her.

Der MTA in der Zentrale wird neben Logistik für zwei weitere Aufgaben eingesetzt:

Das bei Langnese eingesetzte Bürokommunikationssystem (Lotus Notes) wird durch den X.400-MTA in die Lage versetzt, E-Mails an Systeme von Dritten zu schicken. Direkte Kompatibilität zwischen dem eigenen und dem fremden System ist nicht erforderlich.

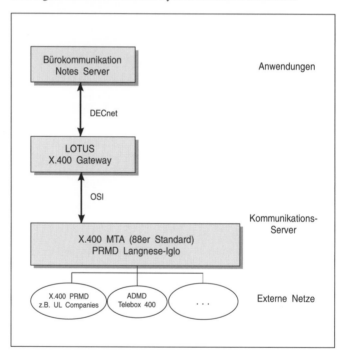

Bild 1
Integration BK

Zum Austausch von Mails wird auch hier der X.400-Standard verwendet. Die Systeme, die via X.400 am E-Mail-Austausch teilnehmen wollen, besitzen eine Schnittstelle zu ihrem MTA bzw. verwenden ein entsprechendes Gateway.

Die zweite EDIFACT-Anwendung im Vorfeld des Logistik-Projektes ist »ELFE«. Die elektronische Fernmelderechnung (ELFE) stellt einen EDIFACT-Nachrichtentyp dar. Die Teilnahme am ELFE-Verfahren der Telekom erfolgte bei Langnese-Iglo durch Anpassung einer Standard-Software auf Basis des installierten EDIFACT-Systems.

Der MTA, der auch hier zur Abwicklung der Kommunikation dient, ist ebenso eine Standard-Software. Er nimmt die elektronische Fernmelderechnung der Telekom entgegen und leitet sie an das EDIFACT-

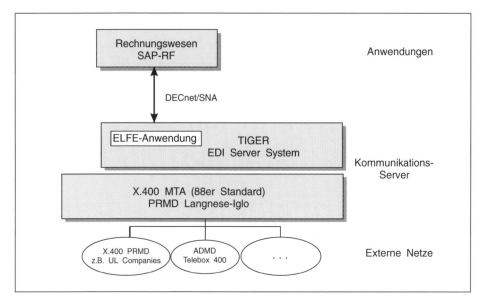

System TIGER weiter. Die Software ELFE, in der alle Fernmeldekonten-Stammdaten hinterlegt sind, plausibilisiert und verarbeitet die vom TIGER übersetzten EDIFACT-Fermelderechnungen und leitet sie schließlich inhouse an das Host-SAP-System zur automatischen Verbuchung weiter.

Bild 2
Integration ELFE

Das Inas-X.25-Netz bildet im Logistikprojekt die Verbindungsebene. Die MTAs in den drei Werken und den zugehörigen Lägern sind mittels Multiprotokollrouter angeschlossen, ebenso der MTA der Zentrale und der MTA des Spediteurs. Diese acht MTAs bauen untereinander direkte Kommunikationsverbindungen auf.

Eingehende Nachrichten von Schwesterfirmen oder von Dritten, z. B. Lieferanten, die das Eintreffen von Ware avisieren, gehen via Telebox-400 an den zentralen MTA. Erst nach erfolgreicher Beendigung der Kommunikation mit diesem externen Partner sendet der MTA in der

Hauptverwaltung die EDIFACT-Nachricht über das LI-interne Netz an den MTA der Ziellokation.

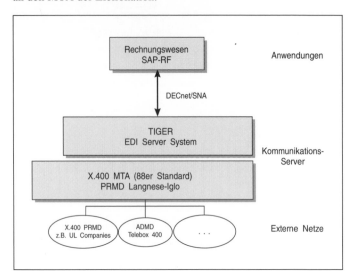

Bild 3
Integration Logistik

Für häufige Kommunikationsverbindungen kann der Umweg über die Telekom durch eine direkte MTA-MTA-Kopplung ersetzt werden. Diese hat Performance- und Gebührenvorteile, da nur noch die direkte Kommunikation aufgebaut wird, und somit nur noch Transportgebühren (z. B. Datex-P) und keine Servicegebühren (z. B. X.400 Store and Foreward der Telebox-400) anfallen.

Bild 4
X.400 Architektur LI

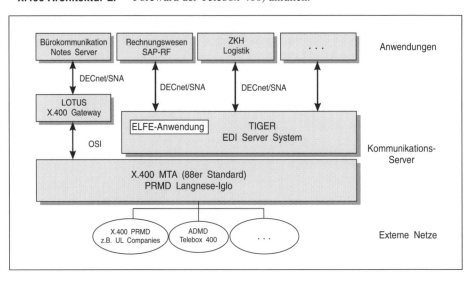

Der physikalische Anschluß des X.400 MTAs in der Langnese-Iglo Zentrale an einen X.25-Knotenrechner erlaubt die Realisierung von direkten Kommunikationsverbindungen zu EDIFACT-Partnern in anderen Netzen (z. B. Unilever Schwesterncompanies im Sprint-Netz).

In Bild 5 ist die Kommunikationsarchitektur Langnese-Iglo im Überblick dargestellt.

Bild 5
Kommunikations-
architektur Lang-
nese-Iglo

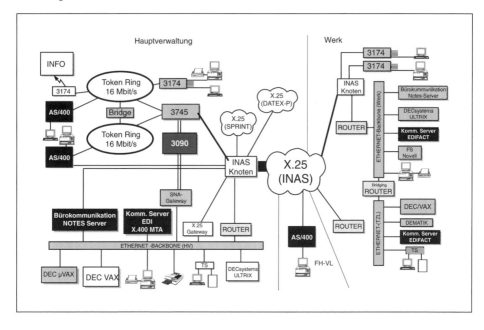

Elektronische Märkte:
E-Mail mit EDI – die effiziente
Unternehmenskommunikation

Michael Lukas

Vorwort

Der elektronische Austausch von Daten gewinnt in den Unternehmen immer mehr an Bedeutung. Eine detaillierte Untersuchung der inner- und außerbetrieblichen Kommunikationsstrukturen im Unternehmen stellt jedoch im Vorfeld die Voraussetzung für die Effizienz von EDI dar.

Grundsätzlich sind drei Dinge zu beachten:

1. EDI kann sich sowohl für kleine, mittlere als auch große Unternehmen als durchaus wirtschaftlich erweisen.

2. Die EDI-Anwendungen müssen sinnvoll in die vorhandenen Geschäftsprozesse eingebunden werden.

3. Dazu bedarf es einer sorgfältigen Analyse der vorhandenen Kommunikationsstruktur.

In der gegenwärtigen Zeit gewinnt die wirtschaftliche Kommunikation in einer globalen und mitbewerbsorientierten Wirtschaft erheblich an Bedeutung. Um hier mithalten zu können, sind technische Produktinnovationen unabdingbar. Eine Lösung aus diesem Dilemma stellt die Automatisierung wiederkehrender Kommunikationsvorgänge innerhalb von Geschäftsabläufen und Geschäftsbeziehungen dar. Hierzu dient EDI (Electronic Data Interchange, elektronischer Datenaustausch) in Verbindung mit einem Transportmedium, wie E-Mail es nun einmal darstellt. Mit dieser Kommunikationsform werden relativ einförmige Vorgänge innerhalb und außerhalb des Unternehmens wie Bestellungen, Produktionsdaten-Übermittlung, Bestätigungen, Aufträge, Rechnungen, Mahnschreiben (Anwalt, Mandant und Gericht) und anderes mehr auf ein standardisiertes Format gebracht. Nach entsprechenden Absprachen werden diese Dokumente zwischen den Computersystemen der einzelnen Geschäftspartner übertragen. Bei entsprechend hoher Anzahl solcher Dokumente entsteht ein erhebliches Einsparungspotential.

Die automatische Weiterverarbeitung der elektronisch versandten Dokumente ohne weiteren Zugriff ist ein wesentlicher Vorteil dieser Übermittlungsform. Gerade die Kombination eines EDI-Systems, welches beliebige Geschäftsdokumente (Inhouse-Daten) in ein standardisiertes Daten-Format konvertiert, mit einem E-Mail-System bringt hier entscheidende Synergieffekte. Dabei fungiert das E-Mail-System auf »Store-and-Forward«-Basis als multifunktionelle Drehscheibe, das den Versand von Geschäftsdokumenten zeitlich entkoppelt. Gerade wenn heterogene Partner, wie z. B. Lieferant und Besteller oder Anwalt und Mandant, über unterschiedliche DV-Strukturen verfügen, kann sich ein integriertes offenes Mailsystem als von Vorteil erweisen.

Der einzelne Anwender ist von diesem Transportmedium nur indirekt berührt. Gegenüber Papierdokumenten besitzt der Austausch von Dokumenten in elektronischer Form erhebliche Vorteile:

- schnellere Übertragung und somit schnellere Abwicklung von Geschäften
- automatisierte Abläufe,
- Kostenreduktion,
- Vermeidung von Abschreibfehlern, da mehrmaliges Erfassen am Computer entfällt etc.

1. Standardisierung

Um die Zusammenarbeit (Interoperabilität) unterschiedlicher EDI-Systeme von verschiedenen Herstellern zu gewährleisten, ist eine internationale Standardisierung der elektronischen Darstellung von Dokumententypen von immenser Bedeutung. Die heute vorliegenden Normen und Normentwürfe werden zusammenfassend mit EDIFACT (Electronic Data Interchange for Finance, Administration, Transport and Commerce) bezeichnet. Diese Standardisierung umfaßt sowohl die zu übertragende Information als auch dessen Codierung. Die wichtigste Normenserie ist UN/EDIFACT, welche von den United Nations (UN) und der International Organisation for Standardisation (ISO) erarbeitet wurde. Parallel zu diesen Standardisierungsarbeiten von UN/EDIFACT wurden in der Vergangenheit in verschiedenen Ländern Projekte zur Einführung von EDIFACT gestartet. Insbesondere sind dabei England und die USA zu erwähnen, die die Standards UNTDI und ANSI X.12 hervorbrachten und entsprechende Nachrichtentransportdienste, Clearingstellen und Endsysteme geschaffen haben.

Aber auch in anderen europäischen Ländern wie Deutschland (SEDAS), Frankreich (ALEGRO) oder den Niederlanden (ECODEX) sind nationale Lösungen bereits seit Jahren im praktischen Einsatz. Daneben haben sich auch Wirtschaftszweige mit branchenspezifischen Lösungen zusammengefunden.

Hier sind stellvertretend zu nennen ODETTE (Automobilindustrie), CEFIC (Chemische Industrie), EDIFICE (Computerbranche), RINET (Rückversicherungsgesellschaften), COST 306 (Transportgewerbe) und DOCIMEL (Europäische Staatsbahnen). Daneben setzen zahlreiche Unternehmen im In- und Ausland heute schon EDI firmenintern ein.

2. Szenario: Logistische Verteilung

Manche Kundenwünsche sind für die Unternehmen nicht leicht in Übereinstimmung zu bringen: etwa eine gewünschte Menge an Waren, zur gewünschten Zeit, am gewünschten Ort bereitzustellen – und das natürlich kostengünstig. Hier hilft nur eine vollautomatische Abwicklung von dispositiven Abläufen, eine direkte Anwendungsintegration.

LION EDInet hat mit ihrem Partner, der Langnese-Iglo GmbH, ein auf EDIFACT basierendes Kommunikationskonzept entwickelt und in der Hannover-Region bereits erfolgreich umgesetzt. Dieses Projekt mit dem Titel KOALA (Kommunikations-Architektur Langnese) ist ein daten- und ausfallsicheres Logistiksystem. Hierbei verbindet eine dreistufige Struktur Netzwerke und Anwendungen mit einer »Kommunikations-Serverebene«. Das System ist so universell ausgelegt, daß neben EDIFACT-Daten auch E-Mail und andere Daten beliebig transportiert werden können.

3. Bezug zur elektronischen Post (E-Mail)

Zur Übertragung elektronischer Dokumente sind Datenübertragungsdienste von besonderer Bedeutung. Grundsätzlich ist jeder Dienst, der Daten zuverlässig überträgt, geeignet, z. B. Telex, Teletex, X.400, andere proprietäre Systeme für elektronische Post, FTAM oder File Transfer mit herstellerspezifischen Protokollen (z. B. Z-Modem etc.) via Modem und Telefonanschluß.

Bei entsprechend großen Datenvolumen ist es bei Verwendung von Wählverbindungen nicht mehr sinnvoll, eine direkte Kopplung von Dokumentenquelle zu Dokumentenempfänger aufzubauen. In diesem Fall arbeitet man mit einer X.400-ähnlichen Architektur, wobei die elektronischen Postämter (MTAs) dann als sogenannte Clearingstellen bezeichnet werden. Einzelne Clearingstellen sind untereinander mit Festverbindungen gekoppelt. EDI-Endsysteme brauchen dann nur noch an ihre nächstgelegene Clearing-Station angebunden werden. Durch die zunehmende Verbreitung von X.400-Systemen wird zukünftig der X.400-

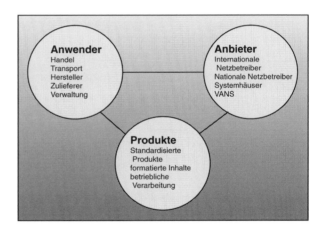

MT Service (Message Transfer Service) als primärer Datenübertragungsdienst für EDIFACT-Nachrichten zum Einsatz gelangen; ähnlich wie für das P2-Protokoll (Inter Personal Messaging) ist für EDIFACT ein völlig neuer X.400-Nachrichtentyp (CCITT X.435) definiert worden.

**Bild 1
Integration der
Geschäftsprozesse**

Der maßgebliche Erfolg von EDI hängt nicht davon ab, ob Daten von A nach B geschickt werden, sondern entscheidend ist vielmehr ihre weitere Verwendung, d. h. die aktive Weiterverarbeitung (Integration) in dem Geschäftsprozeß.

4. Veränderte Geschäftspraxis

EDI bewirkt, daß sich die Geschäftsbeziehungen nach außen hin verstärken werden. Darin liegt die wesentliche Veränderung, die der elektronische Datenaustausch mit sich bringt. Der Einsatz von EDI kann zu völlig neuen Gedankenanstößen führen, denn der Datenaustausch auf elektronischer Basis erzwingt die Auseinandersetzung mit dem Unternehmen. Der wesentliche Erfolg von EDI wird zukünftig wohl nicht allein in der Einbeziehung von allen Bereichen innerhalb eines Unternehmens liegen, sondern in einer langfristig stabilen wirtschaftlichen Umwelt.

5. Die elektronischen Märkte (EDI) heute

Der heutige EDI-Markt wird insbesondere auf Seiten der Anwender von der Konsumgüterindustrie, Nahrungsmittelindustrie sowie Großbanken und Handelsunternehmen geprägt. Dem stehen auf der anderen Seite die nationalen und internationalen Mehrwertdiensteanbieter gegenüber. Außerdem sind in diesem Umfeld auch Systemhäuser wie die LIONEDInet GmbH.

LION bietet hier dem Kunden nicht nur Implementationen an, sondern auch Beratung, Konzeption, Schulung und Maintenance integrierter Anwendungen mit EDI und E-Mail. Daneben bietet das Haus LION auch ein EDI Clearing-Center an, um dem Kunden nicht nur integrierte Lösungen anbieten zu können, sondern auch den EDI-Datentransport einschließlich Clearing (Konvertierung und Archivierung).

Der besondere Vorteil auf Kundenseite liegt darin, daß der Kunde nur noch eine einzige Kommunikationsverbindung (Bilateral) zu seinem Clearing-Center aufbauen muß, statt zu vielen (Multilateral). Damit ergeben sich für den Kunden erhebliche Einsparpotentiale.

5. Analytische Schritte vor der EDI-Einführung

Um EDI zukünftig zum weltweiten Durchbruch zu verhelfen, ist es von Bedeutung, genaue Kenntnisse der innerbetrieblichen Kommunikationsstrukturen und der Kommunikationsbeziehungen zu den EDI-Partnern zu haben. Außerdem müssen EDI-Systeme einfach in der Handhabung, übersichtliche Benutzeroberflächen, leicht portierbar, definierte Import- und Exportschnittstellen, modular aufgebaut und robust im Alltagsbetrieb sein. Grundsätzlich sollten folgende Ansätze (Analyseschritte) durchlaufen werden:

– die Analyse der wesentlichen Geschäftsbeziehungen auf ihre Kommunikationsstruktur hin,
– die detaillierte Beschreibung der organisatorischen Abläufe,
– die Gewichtung (Wertbeurteilung) des jeweiligen Austauschs,
– die Untersuchung der einzelnen Datenformate,
– die Untersuchung der Verteilungsfrequenzen der Daten, Teilnehmer und Produkte des EDI-Marktes.

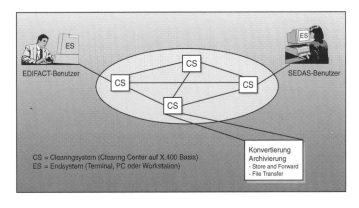

Bild 2
Struktur eines
EDI-Verbundes

7. Ausblick

Die Internationalisierung der Märkte ist eine Tatsache. Diejenigen, die sich frühzeitig auf neue Technologien eingestellt haben, werden am meisten zukünftig profitieren. Seitens der Industrie ist das Interesse sehr groß. Durch die Anpassung von nationalen und branchenspezifischen Lösungen an UN/EDIFACT wird erst internationale Connectivity möglich, was die globale Akzeptanz wesentlich steigern wird. EDIFACT wird in den 90er Jahren zu einer tragenden Säule der modernen Wirtschaft werden; gleichzeitig wird EDIFACT eine immer wichtigere Anwendung von X.400-Systemen werden.

Eine kürzlich in den USA durchgeführte Studie von Computerworld hat aufgezeigt, daß EDI einen kritischen Faktor für den Geschäftserfolg darstellt. EDV-Verantwortliche erwähnten nebst EDI vor allem Client/Server-Architekturen, OSI-Kommunikation und Downsizing.

Hybrid EDI ?

Hybrid EDI ist eine Alternative für Unternehmen, die ausschließlich nur noch per EDI mit ihren Geschäftspartnern verkehren wollen. Große Unternehmen sind EDI-mäßig vollständig integriert, während kleinere Häuser über dedizierte Gateways laufen, die eine Papierschnittstelle (Drucker, Fax etc.) bedienen können.

8. Literatur

[1] Lange, Werner: Standard für die EDI-Zukunft, Business Computing 4/93 und 5/93

[2] Prof. Plattner, B.: Datenkommunikation und elektronische Post, Addison-Wesley

[3] Prof. Dr. Ehrhardt, Johannes: EDI ersetzt die gelbe Post, Business Computing 12/93

[4] Kotler, Philip: Marketing-Management, Analyse, Planung und Kontrolle, C.E. Poeschel Verlag

EDI-Management und EDI-Clearing-Center

Werner F. C. Bruns

1. EDI-Clearing-Centers (ECCs) = Managing EDI

1.1 Der Bedarf an EDI-Management

Die typische Perspektive mancher EDI-Anfänger heutzutage ist, daß EDI aus (angepaßten) Anwendungsprogrammen, Übersetzungsfunktionen (Daten-Standards) und Kommunikation besteht. Der Grad, bis zu dem die Notwendigkeit der Anpassung bestehender Anwendungen gesehen wird, beschränkt sich dabei gewöhnlich auf die Versorgung betroffener Programme mit neuen oder modifizierten Datenschnitt-

Bild 1
EDI-Überblick:
einfachste EDI-
Anwendung

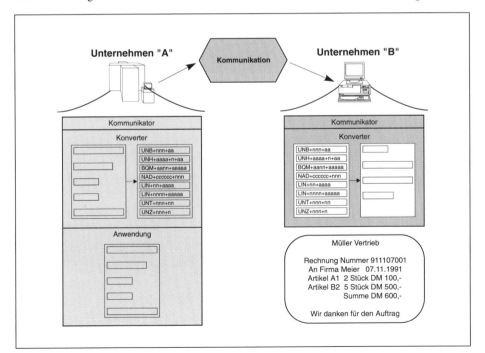

stellen, die darüber hinaus auch noch häufig den Notwendigkeiten vorhandener oder geplanter EDI-Übersetzer angepaßt werden müssen. Auch werden viele EDI-Implementierungen besonders auf kleineren Systemen ohne entsprechende Applikation geplant, so daß Daten nur über Bildschirm-Ein-/-Ausgabe und Ausdruck erzeugt bzw. bearbeitet werden können.

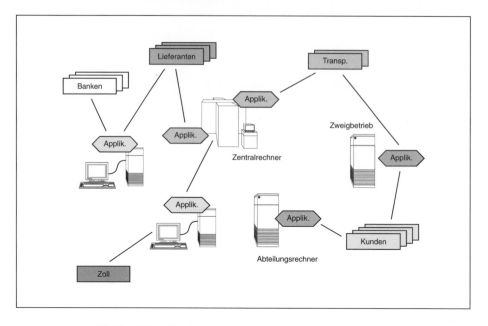

**Bild 2
EDI-Überblick:
vielfältige EDI-
Verbindungen**

Natürlich ist ein solcher Ansatz unter bestimmten Voraussetzungen und auf den ersten Blick attraktiv, insbesondere wenn

– nur eine spezifische Partnerverbindung isoliert betrachtet wird,

– es nur um Einsparung von Kosten (Kommunikation, Datenerfassung, Fehlerreduzierung) geht,

– eine schnelle Antwort auf das Verlangen eines wichtigen Geschäftspartners nach EDI-Fähigkeit gegeben werden muß,

– eine schnelle und billige Implementierung geht.

Solche Lösungen stoßen jedoch bald an Grenzen, wenn in absehbarer Zukunft damit gerechnet werden muß, daß:

– große Mengen von EDI-Nachrichten kommuniziert werden müssen,

– viele Abteilungen involviert sind,

– viele unterschiedliche EDI-Geschäftsvorfälle mit vielen und unterschiedlichen Geschäftspartnern auszutauschen sind (z. B. nicht nur mit Lieferanten und Kunden, sondern auch mit Versicherungen, Banken, Agenten, Transporteuren, Hafenbehörden usw.),

– schnelle und zeitkritische Reaktion von Inhouse-Anwendungen gefordert ist,

– häufige Weiterverteilung von Geschäftsdokumenten nötig ist,

– die Zusammenführung (i. e. Abstimmung) von Daten erforderlich ist, die in unterschiedlichen Nachrichten enthalten sind,

– unter Umständen umfangreiche betriebliche (und damit auch EDV-technische) Organisationsanpassungen erfolgen müssen, um die sich durch EDI anbietenden Chancen konsequent zu nutzen.

Wenn derartige Gegebenheiten bzw. Anforderungen nicht von vornherein in einer firmenweiten EDI-Strategie berücksichtigt wurden, verursachen isolierte und unabgestimmte Implementierungen mit hoher Wahrscheinlichkeit im Nachhinein erhöhte EDI-Gesamtkosten.

1.2 EDI-Management als Teil der EDI-Strategie

Wesentliche Komponente einer solchen EDI-Strategie ist ein adäquates EDI-Management. Durch dieses sollte nicht nur der automatische Ablauf der überbetrieblichen Kommunikation von Geschäftsvorfällen gewährleistet werden, sondern auch die zuverlässige und »ordnungsgemäße« Weiterverarbeitung. Insbesondere müssen die vielfältigen EDI-Verbindungen und damit die EDV-organisatorischen Abhängigkeiten von den Geschäftspartnern einer Firma überschaubar und beherrschbar bleiben.

1.3 Realisierung durch EDI-Clearing-Centers

Die Realisierung solcher Funktionen, aber auch weiterer bzw. flankierender Tätigkeiten, kann man unter unterschiedlichen Titeln zusammenfassen, wie z. B. EDI-Kompetenz-Center, EDI-Management-Center oder EDI-Clearing-Center. Sicherlich werden diese Namen gemäß spezieller Schwerpunkte gewählt. So wird in einem Kompetenz-Center wohl die EDI-Beratung, -Implementierung und -Unterstützung im Vordergrund stehen, während unter EDI-Management allgemein wohl

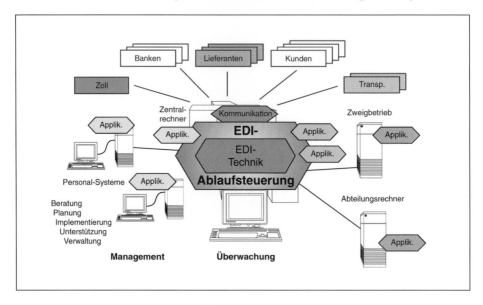

Bild 3
EDI-Clearing-Center: EDI Management-Konzept

vor allem die Überwachung und Reaktion auf Ausnahmen verstanden wird. Da der Schwerpunkt von EDI jedoch auf der automatischen Verarbeitung liegt, wird hier bewußt die Analogie zu dem (auch größtenteils automatisch erfolgenden) Clearing im Finanzbereich gewählt, daß vor allem die »ordnungsgemäße« Bearbeitung von Geschäftsvorfällen zur Aufgabe hat. Dienste wie Beratung, Unterstützung, Management usw. werden im folgenden als notwendige Komponenten eines EDI-Clearing-Center (ECC) verstanden und in die Betrachtungen mit einbezogen. Dementsprechend wird ECC hier als die Gesamtheit aller manuellen, interaktiven und automatischen Funktionen/Dienste definiert, die notwendig sind, EDI-Geschäftsvorfälle innerhalb eines definierten Zuständigkeitsbereiches (domain) nach allgemeinen Regeln zu bearbeiten und mit angeschlossenen Anwendungen und EDI-Partnern ordnungsgemäß auszutauschen.

1.4 Generische ECC-Funktionen

ECC-Dienste können grob in die folgenden Kategorien untergliedert werden:

- *Nachrichten-Services:*
  - Kommunikations-Services,
  - Nachrichtenbearbeitungs-Services,
  - Anwendungs-Services.

- *Unterstützungs-Services:*
  - Beratungs-/Ausbildungs-Services,
  - Installations-/Implementierungsunterstützung und Wartung,
  - Help-Funktionen.

- *Management-Funktionen:*
  - EDI-Verkehrsüberwachung/-steuerung,
  - Zugangskontrolle/Kommunikationssicherheit,
  - Abrechnung.

Diese Funktionen sollten letztlich von jeder mittleren bis größeren Firma wahrgenommen werden. Hausintern könnte dies durch ein »Internes ECC« (I-ECC) erfolgen, in welchem die benötigten technischen und personellen Funktionen zu einer organisatorischen Einheit zusammengefaßt sind. Unzureichende Ressourcen (Fachkräfte, HW/ SW, Zeit) führen jedoch häufig dazu, ein externes ECC, z. B. ein »Service Provider ECC« (S-ECC) oder ein Verbands-/»Association ECC« (A-ECC), zu involvieren. Durch solchen Einkauf professioneller Services könnten mehr oder weniger große Teile (bzw. mehr oder weniger »schwierige« oder »aufwendige« Teile) der EDI-Funktionen nach außen verlagert werden (»Outsourcing«), und zwar sowohl permanent als auch nur temporär. So könnte es z.B ein sinnvoller Ansatz sein, zunächst alle benötigten EDI-Managementfunktionen an ein externes S-ECC zu vergeben, um später bei gewachsenem Datenvolumen und Know-how diese ganz oder teilweise in das eigene I-ECC zu übernehmen.

1.4.1 Nachrichten-Services

ECC-Nachrichten-Services beschäftigen sich mit Dienstleistungen für einzelne EDI-Nachrichten, die entweder zentral (nach gemeinsamen Richtlinien/Verfahren) erfolgen sollen oder für die der EDI-(End-) Benutzer nicht die erforderliche HW, SW, Kommunikationsoptionen, sonstigen Ressourcen oder Expertise hat.

Kommunikations-Services: ECC-Kommunikations-Services bieten eine Anzahl von Optionen, Nachrichten in Standard- oder Nicht-Standardformat von der Ausgangsapplikation über eine oder mehrere ECC-Funktionen zur Bestimmungsapplikation zu transportieren. Das kann mit einschließen:

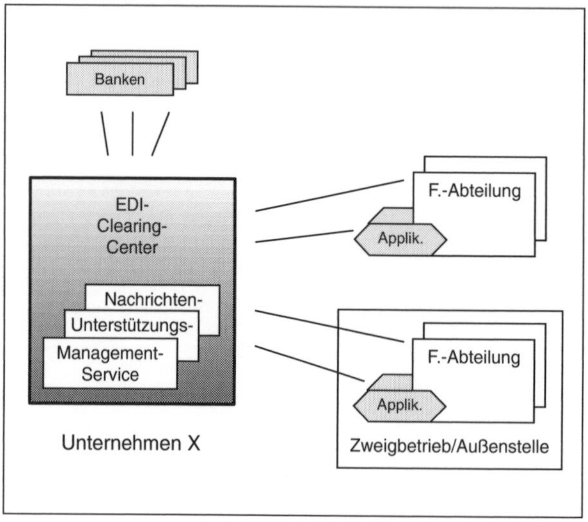

**Bild 4
EDI-Clearing-Center:
Inhouse ECC (I-ECC)**

• Bereitstellen von externer Kommunikation via externen Mail-Box-Services und anderer VANs (Value Added Network Services) für File Transfer und Systemverbund. Hier geht es vor allem um die Optimierung des firmeneigenen Kommunikationsmanagement durch Vermeidung zu vieler Punkt-zu-Punkt-Verbindungen, welche bei vielfältigen EDI-Beziehungen unter Umständen überproportionale Ressourcen (Skill, HW/SW) bedingen und damit leicht unwirtschaftlich werden. Diese VANs können auf proprietären oder öffentlichen Protokollen, z. B. X.400 (X.420, X.435), OFTP, SNA- und/oder OSI/FTAM, basieren.

• Betreiben eines internen Mail-Box- und/oder Queueing-Services.

• Bereitstellen des Zugangs zu den verschiedenen Kommunikationsmedien.

- Empfangen/Senden von Nachrichten:
  - im Anwendungsformat von/an Anwendungen, die entweder lokal mit dem ECC (I-ECC) verbunden sind oder entfernt.

  - im Anwendungsformat, eingebettet in Standard-Nachrichtenrahmen, von/zu internen (I-ECC) und externen Ansendern/Emp–fängern.

  - in Standard-Formaten von/zu internen (I-ECC) und externen Absendern/Empfängern

- Erstellen/Entfernen von Nachrichtenrahmen für Standard- und Nicht-Standard-Nachrichten.

- Optimieren von Übertragungsdateien.

- Verwenden von alternativen Kommunikationspfaden basierend auf unterschiedlichen Kriterien (z. B. Auslieferung via Fax).

- Einsatz von »Call Out«-/»Dial Out«-Funktionen.

- Sammeln/Zuordnen/Verwalten von »Netzwerk«- und »Functional Acknowledgements« und Stationen.

**Bild 5
EDI-Clearing-Center:
Service Provider ECC
(S-ECC)**

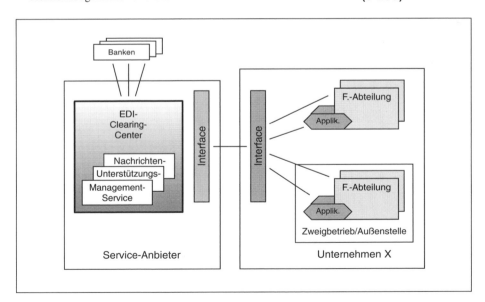

- Zuordnen von empfangenen Nachrichten zu den entsprechenden Service- oder Benutzeranwendungen:
  - entweder passiv: die Nachricht wird in eine Mailbox gestellt, von der sie später zur Weiterverarbeitung ausgelesen werden kann.

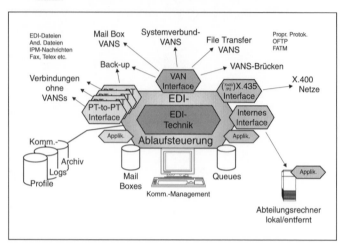

Bild 6
EDI-Clearing-
Center: Kommuni-
kations-Services

- oder aktiv: die als nächstes benötigte Anwendung wird automa– tisch gestartet, so daß die Verarbeitung verzögerungsfrei erfolgt.

1.4.2 Nachrichtenbearbeitungs-Services

ECC Nachrichtenverarbeitungs-Services bieten Aufbereitungs- und Manipulations-Services für einzelne Nachrichten. Diese umfassen:

- Übersetzen von Nachrichten in Anwendungsformaten von/nach Standardformaten,
- Validieren/Verifizieren (Syntax, Standard-Version, Datenbereich, vereinbarte Optionen, Pass-Wort),
- Ver-/Entschlüsseln,
- Authentisieren/Authentisierung prüfen,
- Archivieren/Dearchivieren,
- Durchführen von Inert-Standard-Konvertierungen, z. B. von SE-DAS nach EANCOM oder von ANSI X.12 nach EDIFACT,
- Aufbereiten von Status-/Fehler-Reports zur Weiterleitung.

Anwendungs-Services: ECC Anwendungs-Services sind Funktionen, die vom Inhalt der Daten abhängig sind. Beispiele können sein:

- die automatische Generierung von Auftragsbestätigungen,
- die Generierung von einem Zahlungs-Avis z. B. auf Basis der »Extended Payment Order«,
- der Abgleich von Zahlungs-Avis und Gutschrift.

Obwohl sicher ein großer Bedarf an solchen Funktionen besteht, ergibt sich jedoch die Frage, ob dies noch als Teil eines ECCs gesehen werden sollte oder nicht. Wenn jedoch der Bedarf vorhanden ist und auch durch ein ECC befriedigt werden kann, ist diese Frage eher akademisch.

1.4.3 Unterstützungs-Services

Unabhängig davon, ob es sich um ein firmeninternes ECC (I-ECC) oder externes (S-ECC) handelt, sind Unterstützungs-Services wie Beratungs-/Ausbildungs-Funktionen oft erfolgsentscheidend. Abhängig von Größe und Aufgabenbereich wird ein ECC solche normalerweise durch Personen vorgenommenen Services durch geeignete Referenz-Datenbanken (z. B. für EDI-Standards, EDI-Projekte und EDI-Benutzer-Directories) mit ausgefeilten EDI-Demos und Tutorials (einschließlich Beispielanwendungen) und Entwicklungswerkzeugen für EDI-Anwendungen ergänzen.

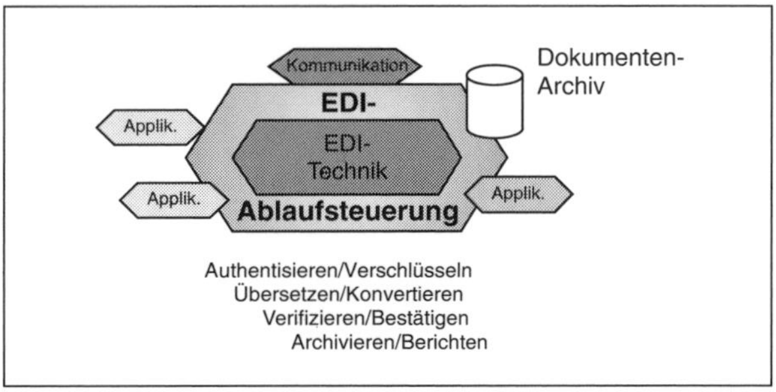

**Bild 7
EDI-Clearing-Center:
Nachrichtenbearbei-
tungs-Services**

Die Kategorie Installation/Implementierungs-Support beinhaltet zentrales Erzeugen, Verwalten und Verteilen von EDI-Standarddefinitionen, Nachrichten, Tabellen, Applikationsformaten, Profilen usw.

Help-Funktionen (z. B. »Help Desk«) könnten über elektronischen Foren sowie Datenbanken für Fehler-Reports und -Korrekturen unterstützt werden.

1.4.4 Management-Funktionen

ECC Management-Funktionen sollen den reibungslosen EDI-Nachrichtenverkehr gewährleisten. Die EDI-Verkehrsüberwachung und

-steuerung ist dabei sicher, besonders bei großen EDI-Anwendern, eine der kritischsten Komplexe.

Da die Zahl der auszutauschenden Nachrichten ständig zunimmt (Größenordnungen von 1000 Nachrichten/Tag sind leicht absehbar und werden zum Teil heute schon erreicht bzw. überschritten) ist die möglichst automatisierte Steuerung und effiziente Kontrolle des EDI-Verkehrs obligatorisch. Viele Nachrichten müssen mehrere Tage oder gar Wochen verwaltet werden, bis sie z. B. bestätigt werden oder der

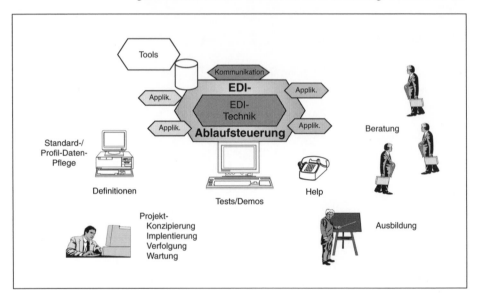

Bild 8
EDI-Clearing-Center:
Unterstützungs-
Services

Vorgang erledigt ist. Das heißt, unter Umständen sind tausende von Nachrichten »aktiv«. Und wenn z. B. bei 500 am Tag versandten Nachrichten 12 fehlerhaft waren bzw. von einzelnen Partnern nicht empfangen wurden (was sich zum Teil erst nach Tagen herausstellen kann), so sollen natürlich nur diese eventuell nochmals (u. U. korrigiert) gesendet werden und nicht aus Versehen auch fehlerfreie. Und schließlich muß sichergestellt werden, daß empfangene Nachrichten so optimal, so sicher und so schnell wie möglich durch die Inhouse-Anwendungen geschleust werden, bis dann die »Antwort-Nachricht« per EDI wieder ausgesandt werden kann.

Auf die weiteren Management-Funktionen soll hier nicht eingegangen werden.

1.5 Datenfluß durch ein ECC

Das folgende ist ein kurzer konzeptioneller Abriß des automatischen Ablaufes in einem ECC.

Nachrichtenbezogene Aktivitäten eines ECCs können zum größten Teil in einen Zwei-Phasen-Prozeß unterteilt werden:

– die Empfangs-Phase, die alle Funktionen in bezug auf die sendende Anwendung durchführt und

– die Sende-Phase, die alle Funktionen in bezug auf die empfangende Anwendung durchführt.

Die Empfangs-Phase basiert auf der »Empfangsvereinbarung«, d. h. auf dem Abkommen des Nachrichtensenders mit dem ECC. Gemäß dieser Vereinbarung wird die Nachricht zunächst vorverarbeitet, also z. B. verifiziert oder übersetzt. Am Ende der Empfangs-Phase wird die zunächst nur eingangsseitig verarbeitete Nachricht in einem zentralen Datenspeicher abgelegt. Dies geschieht entweder in einem Standard-Datenformat oder, wenn keine Übersetzung erforderlich ist, im empfangenen und unmodifizierten Datenformat. Von diesem zentralen Datenspeicher werden die Nachrichten dann für die Sendeaufbereitung abgerufen, um gemäß der »Sendevereinbarung« an einen oder mehrere Empfänger versandt zu werden (möglicherweise in unterschiedlichen Daten-Standards).

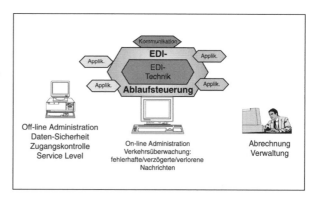

Bild 9
EDI-Clearing-Center:
Management-
Funktionen

Stark vereinfacht könnte der Ablauf der Empfangsphase wie folgt aussehen:

1. Die Nachricht wurde empfangen (wobei unter Umständen auch ein Passwort verifiziert wurde). Es sind mehrere Möglichkeiten denkbar:

- Die Nachricht kommt von einer lokalen Anwendung und ist in deren Anwendungs-Datenformat. Die Übergabe könnte via Plattenspeicher, HSP-Warteschlange oder sogar mittels direktem Service-Aufruf (z. B. API) erfolgen.

- Die Nachricht kommt von einer entfernten Anwendung und ist in deren Anwendungs-Datenformat. Die Übergabe sollte wie bei einer Standard-Nachricht erfolgen. Dies geschieht am zweckmäßigsten durch Einbetten der Nachricht in einen Standard-Nachrichtenrahmen. Um die Übergabe so reibungslos wie möglich ablaufen zu lassen, wird auf der Service-Nehmerseite ein vom ECC zur Verfügung gestelltes Kommunikations-Interface verwendet, welches die Funktionen der Nachrichtenrahmengenerierung beinhaltet.

- Die Nachricht kommt von einer entfernten Anwendung und ist in einem Standard-Datenformat. Ein vom ECC zur Verfügung gestelltes Kommunikations-Interface könnte zur Optimierung verwendet werden. Wie auch immer, die Nachricht wird, soweit nötig, aus ihrem Rahmen herausgenommen und in eine Warteschlange eingearbeitet.

Basierend auf den Einträgen in einer Profil-Tabelle (dem Punkt eines Teiles des EDI-Vertrages) werden nun verschiedene Operationen an dieser Nachricht durchgeführt. Die Reihenfolge könnte wie folgt aussehen, muß jedoch nicht:

2. Archivieren wie Empfangen,

3. Entschlüsseln,

4. Authentisieren,

5. Übersetzen in ein Standard-Datenformat,

6. Validieren von Daten-Standard und Optionen,

7. Validieren von Daten-Bereichen,

8. Durchführen möglicher Anwendungsfunktionen,

9. am Ende der Empfangs-Phase Zwischenspeichern in der zentralen Datei.

In der Sende-Phase wird jede Kopie dieser Nachricht, die ausgesendet werden soll, zu vorgegebener Zeit (oder sofort) aus dieser zentralen Datei abgerufen, optional durch mehrere ECC-Funktionen bearbeitet (im wesentlichen spiegelbildlich zur Empfangs-Phase) und dann (wenn erforderlich) mit einem Nachrichtenrahmen versehen und abgesandt.

Das Versenden erfolgt über einen Zwischenspeicher, so daß, falls mehrere Nachrichten zur Übertragungsoptimierung zusammengefaßt werden sollen, diese in eine gemeinsame Übertragungsdatei eingearbeitet werden können.

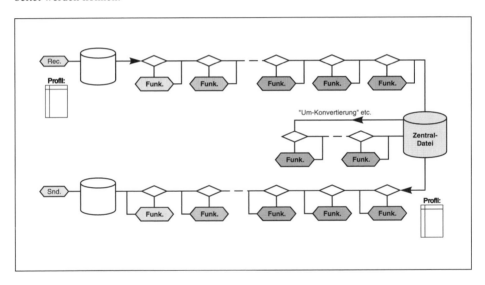

In Fällen, in welchen eine Konvertierung von einem Empfangs-Datenstandard in einen anderen Standard erforderlich ist, wird eine Zwischenkonvertierungs-Phase eingeschoben.

**Bild 10
EDI-Clearing-Center:
prinzipieller
Datenfluß**

Zu den Aufgaben der Management-Funktionen gehören das Steuern und Überwachen dieser Abläufe. Sie starten Aktivitäten gemäß den Vorgaben (Profile, Verträge) und überwachen die Einhaltung vereinbarter Leistungen unter anderem im Hinblick auf Qualität und Zeitverhalten. Es werden Stati gesammelt und verbucht und es wird auf Ausnahmesituationen reagiert. Das kann im einfachsten Fall vom Zustellen eines Protokolls an den Benutzer bis in komplexeren Lösungen zur weitgehend automatischen Korrektur sowie zur Ablaufwiederholung reichen.

1.6 Zusammenfassung

Die oben beschriebenen Funktionen, realisiert über interne und/oder externe ECCs, sind die wesentlichen Komponenten des EDI-Management. Vielleicht zu Beginn der ersten EDI-Aktivitäten noch nicht in vollem Umfang erforderlich, werden sie bei den zu Anfang beschriebenen Bedingungen (unter anderem wachsendes Datenvolumen) rasch unverzichtbar. Das gilt aber vor allem auch dann, wenn EDI nicht nur »taktisch« als Mittel zur Kosteneinsparung betrachtet wird, sondern »strategisch« zur Erreichung dauerhafter Wettbewerbsvorteile. Ein interessanter Aspekt ist dabei auch, daß nach Wegfall der Papierdokumente (und damit z. B. auch des Firmen-Logos im Briefkopf) im Verkehr mit den Geschäftspartnern das »elektronische Fenster« einer Firma (also vor allem EDI) zum neuen »elektronischen Logo« wird. Wie dieses »Logo« aussieht, d. h. wie es von den Geschäftspartnern »gesehen« wird, hängt ganz wesentlich von der Qualität des EDI-Management ab.

Viele der oben angegebenen Funktionen sind in den IBM EDI-Programmen (EDI-Konverter und -Manager) sowie im IBM Information Exchange (IE: weltweiter EDI-Kommunikationsdienst auf Mailbox-Basis) enthalten. Insbesondere das Nachrichten-Management ist zu einem großen Teil durch IBM DataInterchange/MVS und CICS sowie die Administrator-Funktionen von IE abgedeckt. Des weiteren gibt es von der IBM Programmprodukte für automatische Routing-/Queueing-Funktionen.

Alle diese Produkte können sowohl in einem inhäusigen ECC (I-ECC) als auch im Rahmen eines S-ECCs oder A-ECCs eingesetzt werden. Und so ergibt sich hier für Firmen die Möglichkeit, in relativ kurzer Zeit ein qualifiziertes und professionelles EDI-Management/Clearing aufzubauen. Die IBM Deutschland Systeme und Netze GmbH bietet ihren Kunden ECC-Services an, die gemäß eines individuellen Aufgabenkataloges im Rahmen eines kundenspezifischen Projektes implementiert und durchgeführt werden. Dabei kann es sich um praktisch alle EDI-relevanten Funktionen handeln, die bei einer Firma anfallen, aber auch nur um solche, die die betreffende Firma nicht selber wahrzunehmen bereit ist, weil sie sich bei EDI auf wesentliche (strategische) Dinge konzentrieren möchte.

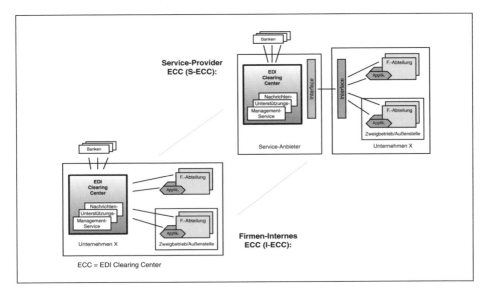

Service-Provider
ECC (S-ECC):

Banken

EDI Clearing Center

Nachrichten-Unterstützungs-Management-Service

Interface

Interface

F.-Abteilung
Applik.

F.-Abteilung
Applik.

Zweigbetrieb/Außenstelle

Service-Anbieter

Unternehmen X

Banken

EDI Clearing Center

Nachrichten-Unterstützungs-Management-Service

F.-Abteilung
Applik.

F.-Abteilung
Applik.

Unternehmen X

Zweigbetrieb/Außenstelle

Firmen-Internes
ECC (I-ECC):

ECC = EDI Clearing Center

So könnte die Firmenstrategie z. B. lauten:»Nur EDIFACT (und keine alten/veralteten Standards)« oder»nur VANSs« (und keine Punkt-zu-Punkt-Verbindungen). Da aber die Anforderungen bestimmter (wichtiger) Geschäftspartner unter Umständen hier Ausnahmen bedingen, könnte z. B. die Lösung sein, SEDAS-Nachrichten im IBM ECC in EANOCOM (EDIFACT) übersetzen zu lassen.

**Bild 11
EDI-Clearing-Center:
Übergang von S-ECC
zum I-ECC**

Das Outsourcing ins IBM S-ECC bietet sich aber auch immer dann an, wenn man sich zwar der Bedeutung von EDI-Management bzw. Clearing bewußt ist und deshalb diese Funktionen auch wahrnehmen möchte, aber dazu aus Personal-, Skill-, Ressourcen-, Zeit- oder finanziellen Gründen nicht (oder noch nicht) in der Lage ist. Und da es sich bei dem IBM ECC-Angebot nicht um einen Service»von der Stange« handelt, kann bei der Realisierung eines solchen Projektes weitestgehend berücksichtigt werden, daß später, wenn der Umfang des EDI-Verkehrs es geraten erscheinen läßt und die oben angegebenen Hemmnisse beseitigt sind, eine Übernahme von diesen Funktionen (vielleicht zunächst auch nur der»einfacheren«) ins eigene I-ECC mit reduziertem Implementierungsaufwand erfolgen kann. Zusammenfassend kann also gesagt werden:

– EDI sollte als ein strategisches für die Wettbewerbsfähigkeit einer Firma immens wichtiges Konzept betrachtet werden und nicht nur als eine Art moderner Kommunikationsalternative.

- EDI muß qualifiziert »gemanaged« werden. Dazu sollte eine firmeninterne Organisations-/Funktionseinheit eingerichtet werden (I-ECC), welche die EDI-Aufgaben entweder über ein eigenes I-ECC oder ein externes S-ECC wahrnimmt.

- Die Einführung von professionellem EDI kann z. B. durch ein Projekt im IBM ECC (S-ECC) beschleunigt und kostenverträglicher gestaltet werden.

Der EDImanager in der betrieblichen Praxis

Henrik Heidemann, Sophie Weber

1. Die Ausgangssituation

Der elektronische Datenaustausch (EDI) wird inzwischen als bedeutender Faktor für Wirtschaftlichkeit und Wettbewerbsverbesserung erkannt und realisiert. Die aus dem internationalen Wettbewerb erwachsenden Anforderungen an die Unternehmen sind hierfür genauso maßgebend wie die mittlerweile vorhandene technologische Infrastruktur. EDI ist kein Insider-Thema mehr, sondern wird als strategische Management-Aufgabe begriffen.

Die elektronische Abwicklung der Kommunikation basiert auf DV-gestützten Planungs-, Konstruktions-, Produktions-, Fertigungs-, Verwaltungs- und Vertriebsprozessen. Die in den jeweiligen Anwendungen generierten elektronischen Daten werden vermittels maschinenlesbarer Nachrichtenstandards ausgetauscht. Die direkte Kommunikation von Anwendung zu Anwendung garantiert die optimale Nutzung der Potentiale von EDI. Überflüssige Bearbeitungsschritte entfallen, und die innerbetriebliche Organisation wird optimiert.

EDI führt zur Verkürzung der Reaktionszeiten, zur schnelleren Abwicklung von Geschäftsvorfällen, zur Beschleunigung der Informations-, Geld- und Warenströme, zum Abbau von Lagerbeständen und Wegfall von Eingabe- und Erfassungsarbeiten, zur Reduktion von Übermittlungskosten und Senkung von Produktions- und Kapitalbindungskosten.

Einige Branchen praktizieren EDI seit längerer Zeit, andere forcieren gerade die Einführung, dritte diskutieren erst die Notwendigkeit von EDI und einige wenige nehmen noch kaum Notiz davon. Innerhalb der Branchen sind es neben den Verbänden in der Regel vor allem die großen und strategisch denkenden mittleren Unternehmen und auch Verwaltungen, die den Einsatz von EDI vorantreiben.

Das nachfolgend dargestellte EDI-Szenario eines Automobil-Zuliefe-
rers kann als Beispiel für die verschiedenen Möglichkeiten des Einsatzes von EDI gelten:

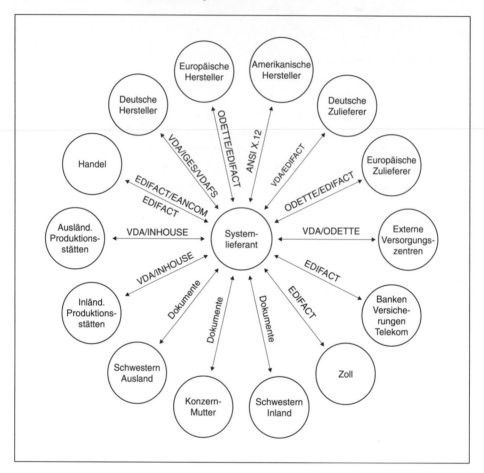

Bild 1
EDI-Szenario
eines Automobil-
Zulieferers

2. Die Anforderungen an EDI-Systeme

Trotz zunehmender Fortschritte in Sachen Vereinheitlichung von
Nachrichtenstandards – unter anderem durch die steigende Bedeutung
von EDIFACT – ist auf absehbare Zeit noch die Verarbeitung von
branchenspezifischen Standards notwendig. Im Hard- und Software-

bereich rechnet man mit einer Zunahme der unternehmensinternen und unternehmensübergreifenden Vernetzung; Downsizing und offene Hard- und Softwarearchitekturen führen zu flexibleren DV-Umgebungen. UNIX als relevantes Betriebssystem, variable Hostanbindungen, Integration in lokale Netzwerke, in WANs und Anwendungssystemen stehen auf der Tagesordnung.

Die Durchsetzung von EDI ist ein dynamischer Prozeß. Das bedeutet, daß sich die Anforderungen an EDI-Systeme nicht starr fixieren lassen. Betriebsspezifische wie allgemeine Veränderungen müssen schnell und ohne großen Aufwand nachvollzogen werden können.

Für die kostengünstige Realisierung elektronischer Kommunikation sind standardisierte EDI-Software-Systeme von auschlaggebender Bedeutung. Insellösungen erfüllen die zunehmenden Anforderungen nicht mehr, und Eigenentwicklungen sind zu aufwendig und teuer. Actis hat aufgrund langjähriger Erfahrung EDI-Managementsysteme entwickelt, die aktuellen und zukünftigen Anforderungen hochintegrierten elektronischen Datenaustauschs gerecht werden.

3. Der EDImanager

Am Beispiel des EDImanager sollen die Einsatzmöglichkeiten eines hochintegrierten EDI-Systems in der betrieblichen Praxis aufgezeigt werden.

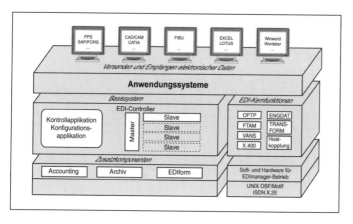

**Bild 2
Modularer Aufbau
des EDImanager**

Der EDImanager ist modular aufgebaut und unter UNIX skalierbar. Damit ist sowohl der bedarfsgerechte Ersteinsatz wie die flexible Anpassung an spätere organisatorische und technische Veränderungen möglich. Je nach betrieblichem Bedarf kann das Basissystem des EDImanager mit den jeweils benötigten Kernfunktionen kombiniert werden. Als Zusatzkomponenten stehen Accounting, Archivierung sowie die EDIFACT-Workstation EDIform zur Verfügung. Die modulare Konstruktion erlaubt zudem eine schnelle Reaktion des Herstellers auf neue Bedürfnisse des Marktes. Das System arbeitet auf allen bedeutenden UNIX-Plattformen.

4. EDI-Management

Die zunehmende Nutzung von EDI durch verschiedenste Anwender erfordert – schon aus organisatorischen und Kostengründen – ein einheitliches EDI-Management innerhalb eines Unternehmens. Der EDImanager ist deshalb als ein verteiltes System nach Client-/Server-Architektur mit Remote-Applikationen konstruiert.

**Bild 3
Zentrales Gateway –
verteilte Nutzung**

Das Konfigurations- und Sicherheitsmanagement, die Partner- und Benutzeradministration, die Fehler- und Störfallroutinen, das Accounting und die Archivierung erfolgen zentral und einheitlich; die EDI-Kernfunktionen werden je nach Bedarf auf allen mit dem EDImanager-

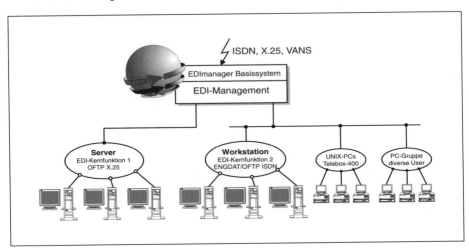

Basissystem verbundenen Rechnern installiert. Dadurch ist die optimale Nutzung der hausinternen Hardware-Struktur möglich. EDI wird zur betriebsinternen Dienstleistung, und der einzelne EDI-Anwender kann darauf einfach zugreifen.

Die verteilte Nutzung des EDImanagers beschränkt sich nicht auf den lokalen Einsatz, sondern kann auch überregional in verschiedenen Unternehmensgliederungen praktiziert werden.

Beispielsweise können in Werken an verschiedenen Orten EDI-Kernfunktionen eingesetzt werden, die über den in der Zentrale installierten EDImanager ihre externe und interne EDI-Kommunikation vollziehen. Für die Ausarbeitung optimaler Lösungen steht das Beraterteam von Actis zur Verfügung.

Der EDImanager kann außerdem auch als Instrument zur Verbesserung der innerbetrieblichen Kommunikation eingesetzt werden. Daten, die betriebsintern weiterverarbeitet werden müssen, können über interne Mailboxen weitergegeben werden. Informationen können über elektronische schwarze Bretter oder elektronische Verteilerdienste publik gemacht werden.

Für den Außendienst, Außenstellen, Filialen aber auch für die Verbindung zu Kunden und Lieferanten, die noch in »EDI-Kinderschuhen« stecken, können unternehmenseigene Mailboxen im EDImanager eingerichtet werden. Diese EDI-Partner können die Telebox-400 oder die Actis-Produkte EDIfors oder EDIpoint nutzen.

5. Komfortables und sicheres EDI-Handling

Der EDImanager ist ein anwenderfreundliches System. X-Windows, OSF-/Motif-Dialogschnittstelle, komfortable Konfigurationsapplikationen sowie ein vollautomatischer 24-Stunden-Betrieb erleichtern dem Operator die Arbeit. Die Datensicherheit ist durch Vergabe von Zugriffsberechtigung, Paßworte und Restart-Fähigkeit gewährleistet.

Mit dem EDImanager können optimale Bearbeitungsfolgen durch Zeit- und Ereignissteuerung definiert und dann automatisch ausgeführt werden. Das kann sowohl die Sammlung mehrerer Nachrichten an

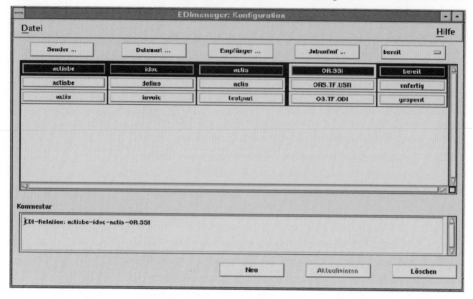

Bild 4
Oberfläche zur
Konfiguration des
EDImanager

einen Partner in einem bestimmten Zeitraum zum Zwecke des Sammelversands als auch die Versendung zu kostengünstigen Zeiten oder Erstellung von Routinen für die interne Weiterleitung von EDI-Nachrichten sein.

Die Archivierungsfunktion umfaßt die automatische Archivierung von EDI-Objekten, Verarbeitungsprotokollen und -regeln gemäß den Grundlagen ordnungsgemäßer Speicherbuchführung (GOS), die Möglichkeit der Auslagerung auf Sekundärspeichermedien, interaktive Retrieval-Funktionen auf dem Archiv(-Index), »Reaktivierung« der archivierten Objekte und die Nutzung von Fremdprotokollen.

Die Accounting-Funktion ermöglicht die nutzerspezifische Abrechnung von EDI-Dienstleistungen für interne Abteilungen und die Abrechnung von Dienstleistungen für externe EDI-Partner. Neben der Kostenüberwachung können Auslastungs- und Fehlerstatistiken geführt und Accounting-Daten bezüglich Laufzeit, Objektgrößen und Netzwerkkosten für jede Kernfunktion erfaßt werden. Die Auswertung ist entweder interaktiv oder offline automatisch in festzulegenden Abständen möglich.

6. Nachrichtenstandards

Der EDImanager erlaubt den Multistandard-Betrieb mit unterschiedlichsten Partnern bei einem einheitlichem Inhouseformat. Neben EDI-
FACT und seinen Branchensubsets werden auch langjährig erfolgreich eingesetzte Standards wie VDA, SEDAS, ODETTE und ANSI
X.12 unterstützt.

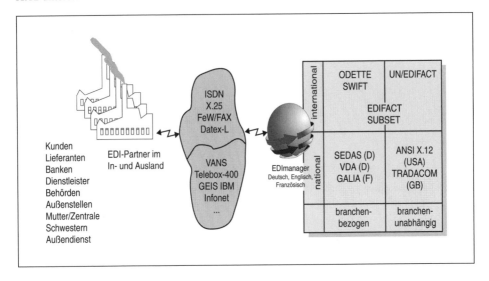

Der Zugang steht offen zu allen relevanten Netzen und VANs wie
ISDN, X.25, FeW/FAX, Datex-L, Telebox-400, GEIS, IBM, Infonet
usw. Die Integration in lokale Netzwerke ist auf Grundlage von
Ethernet und Token Ring möglich. Als Kommunikationsprotokolle
stehen FTAM, X.400, OFTP, TCP/IP oder SNA zur Verfügung.

Bild 5
Nachrichtenstan-
dards – Netze

7. EDIFACT-Workstation EDIform

Der Transformator (Runtime-Version), eine Kernfunktion des EDImanagers, setzt Inhouse-Formate in Standard- oder andere Formate und
umgekehrt um. Abbildungstabellen, die dazu benötigt werden, gibt es
als Standardversionen. Spezielle Versionen können bei Actis bestellt
werden.

Für Unternehmen, die selbst Abbildungstabellen erstellen wollen, gibt es als eigenständiges Produkt die Formatumsetzer-Workstation EDIform. Sie ist in den EDImanager integrierbar. Ihre Funktionalität umfaßt die

- Definition von Interchange- und Nachrichtenformaten,
- Beschreibung von Konvertierungsvorschriften,
- Definition von Regeln zum Zerlegen und zur Generierung von Nachrichten aus Interchanges,
- Import-/Exportfunktion zum DIN-/EDIFACT-Normdatenbanksystem,
- Verarbeitung aller relevanten Nachrichtenformate (EDIFACT, ODETTE, VDA, SEDAS, ANSI X.12).

8. Simultaneous Engineering

Bild 6
Simultaneous
Engineering

Neben dem Austausch elektronischer Daten bei kommerziellen Geschäftsvorgängen gewinnt der Austausch von Konstruktions- und

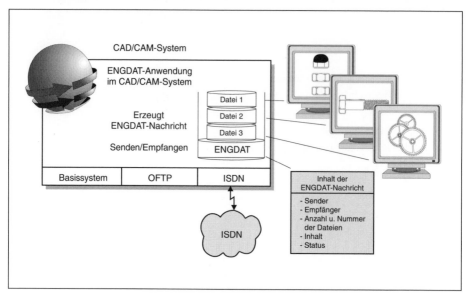

Designdaten an Bedeutung. Damit werden Entwicklungszeiten verkürzt und Handlingkosten eingespart.

Der EDImanager hat dafür die ENGDAT-Anwendung. Sie erlaubt die komfortable Übermittlung und EDI-Verwaltung von CAD/CAM- und sonstigen Konstruktionsdaten mit der Engineering Data Message.

Detaillierte Angaben zu Partnern, Datenarten, Freigabe- und Änderungsinformationen enthalten relevante Informationen für die EDI-Partner, sorgen für die automatische Weiterleitung und die einfache Integration in das vorhandene CAD/CAM-System.

Die Aufbereitung der zu beschreibenden Daten ist einfach. Die standardisierte Verarbeitung auf Basis der entsprechenden VDA-Empfehlungen ist gewährleistet. Die Nutzung von ISDN gewährleistet Schnelligkeit und spart Kosten.

9. EDI international

Die zunehmende Verflechtung von Unternehmen in unterschiedlichen Ländern erfordert mehrsprachige Software, der EDImanager ist neben Deutsch, 1994 in Englisch und Französisch verfügbar, weitere Versionen in Spanisch, Italienisch und Portugiesisch sind in Planung. Die Produkte EDIpoint und EDIfors unter MS-DOS werden ebenfalls in verschiedenen Sprachen verfügbar sein.

10. Hochintegriertes EDI

Der EDImanager bietet durch seine Standardschnittstellen eine Integrationsbasis für EDI in die Softwareprodukte anderer Hersteller. Für die SAP-Systeme R/2 und R/3, für Catia und FORS gibt es spezielle, in Zusammenarbeit mit den Herstellern entwickelte EDI-Integrationen.

In dieser hochintegrierten Form erschließt sich erst das volle Potential von EDI. Der Sachbearbeiter, Konstrukteur, die Ingenieurin oder Vertriebsmitarbeiterin am Anwendungssystem nutzt EDI als integrierte Funktion, ohne sich um irgendwelche Details des elektronischen Datenaustauschs kümmern zu müssen.

Auf dieser Basis wird EDI zum schlagkräftigen Instrument und trägt dazu bei, Strategien wie Just-in-Time, Lean Production oder Reengineering zu realisieren.

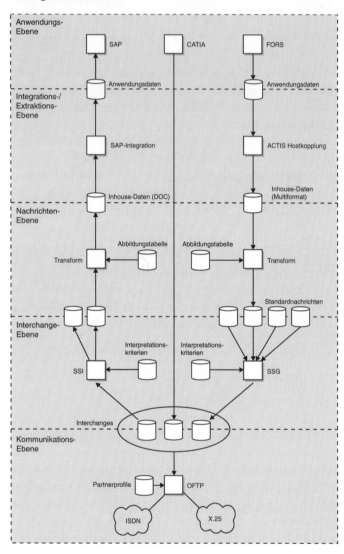

**Bild 7
Referenzmodell –
Anwendungs-
integrationen**

DATACOM • EDI

Optimierung der Geschäftsprozesse in der Automobilindustrie durch Electronic Data Interchange (EDI)

Thomas Hübner VW

Executive Summary

Für Hersteller und Lieferanten in der deutschen Automobilindustrie ist der elektronische Datenaustausch unverzichtbar. Als erster deutscher Automobilhersteller begann Volkswagen 1978 den elektronischen Datenaustausch mit Lieferanten. Mit dem Ende der Monokultur des VW-Käfers kam eine neue Fahrzeuggeneration mit mehr Ausstattungswünschen und einem starken Anwachsen der Modell- und Variantenvielfalt. Die Extrapolation dieser Entwicklung hätte zu rapide steigenden Papiervolumen, unproduktiver manueller Datenpflege und unweigerlich höheren Lagerbeständen geführt. EDI verkürzt die Lieferzyklen, Informationsvorlaufzeiten und die Kapitalbildung. Moderne Belieferungskonzepte setzen EDI voraus. Die Informationen auf beiden Partnerseiten werden synchronisiert, die Geschäftsprozesse laufen im Informationsfluß interaktionslos. Bei den eingesetzten Standards vollzieht sich eine Migration von den nationalen branchenbezogenen VDA-Standards über den europäischen ODETTE-Standard zu den internationalen branchenübergreifenden EDIFACT-Standard. Wir werden die brancheneinheitliche Lösung, wie sie die alten VDA-Standards darstellen, auch bei den internationalen Standards beibehalten. EDIFACT alleine vereinheitlicht nur an der Benutzeroberfläche.

Für Hersteller und Lieferanten in der deutschen Automobilindustrie ist der elektronische Datenaustausch unverzichtbar geworden, wie am Volkswagenkonzern beispielhaft dargestellt. Mit dem Wachsen haben sich durch interne Arbeitsteilung in allen Unternehmensprozessen die Informationsbeziehungen vervielfacht. Für die Ausbreitung der Unternehmensprozesse auf fast alle Kontinente war die elektronische Kommunikation grundsätzlich Voraussetzung. Diese Erkenntnis ist inzwischen in allen Branchen weltweit etabliert. Die nordamerikanische Industrie hat in den vergangenen Jahren stark in ihre EDI-Programme investiert und einen hohen Durchdringungsgrad erreicht.

Die Dezentralisierung von Aufgaben und Verantwortung in die Marken und Gesellschaften des Konzerns mit jeweils eigener multinationaler Beziehungsvielfalt zu externen Partnern ließ in den letzten Jahren den Vorteil eines weltweiten Standards für den elektronischen Datenaustausch erkennen, deshalb hat auch VW ein eigenes Interesse an einem Weltstandard. Volkswagen expandierte nach der Gründungsperiode sehr stark in den 50er und 60er Jahren. Speziell in den letzten 10 Jahren wurde der Konzern weiter international ausgebaut und ist im Markt mit den vielen Marken Volkswagen, AUDI, SEAT und SKODA vertreten.

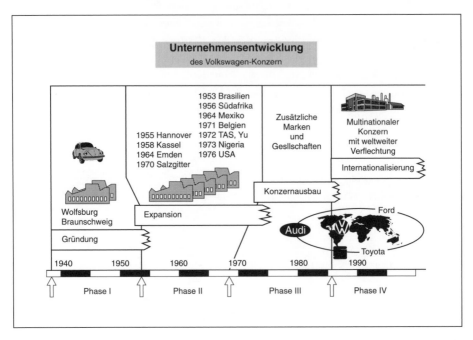

Bild 1
Unternehmens-
entwicklung des
Volkswagen-
Konzerns

Die Zusammenarbeit mit unseren zuliefernden externen Partnern in der Automobilindustrie wird seit Mitte der 70er Jahre durch den Austausch von elektronischen Nachrichten unterstützt. Als erster deutscher Automobilhersteller begann Volkswagen 1978 den elektronischen Datenaustausch mit Lieferanten. Die erste eingesetzte Nachricht war der Lieferabruf.

Mit dem Ende der Monokultur des VW-Käfers kam eine neue Fahrzeuggeneration mit mehr Ausstattungswünschen und einem starkem Anwachsen der Modell- und Variantenvielfalt. Nicht nur die Informationssysteme im Hause mußten angepaßt und erneuert werden, um das rapide steigende Datenvolumen beherrschbar zu halten, bei den volumenstarken Lieferanten ließ sich die Belieferungssteuerung für Kaufteile mit Listen auf Papier nicht mehr bewältigen. Die gleichzeitige Entwicklung notwendiger Technik zur Daten-Fernübertragung machte direkten Austausch von elektronischen Abrufdaten zwischen Hersteller und Lieferant möglich.

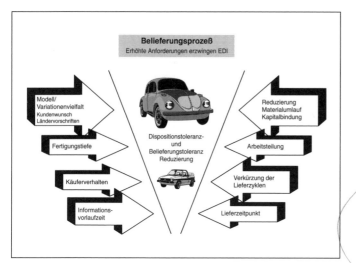

Belieferungsprozeß
Erhöhte Anforderungen erzwingen EDI

Modell/
Variationenvielfalt
Kundenwunsch
Ländervorschriften

Fertigungstiefe

Käuferverhalten

Informations-
vorlaufzeit

Dispositionstoleranz-
und
Belieferungstoleranz
Reduzierung

Reduzierung
Materialumlauf
Kapitalbindung

Arbeitsteilung

Verkürzung der
Lieferzyklen

Lieferzeitpunkt

Bild 2
Erhöhte Anforderungen an den automobilen Belieferungsprozeß erzwingen EDI

Die steigende Anzahl der Kaufteile-Varianten führt zu tendenziell höheren Lagerbeständen. Moderne Belieferungskonzepte mit kürzeren Lieferzyklen und Informationsvorlaufzeiten zur Reduzierung der Kapitalbildung setzen EDI voraus.

Entwicklungs- und Fertigungstiefenreduzierung und Verlagerungen der Arbeitsteilung (vom Teile- zum Systemlieferanten, Entwicklung- und Fertigungsverantwortung beim Lieferanten) im Produktionsprozeß bewirken – bei hoher Ausstattungsvarianz im fertigen Produkt – mehr Kaufteile-Varianten und höheres Teilevolumen im logistischen Prozeß zwischen Lieferanten und Hersteller. Bei der Reduzierung von Fertigungs- und Entwicklungstiefe steht die deutsche Automobilindustrie und auch Volkswagen erst am Anfang der Entwicklung. Merkmale der Veränderungen in der automobilen Wertschöpfungskette zugunsten der Zulieferindustrie sind geprägt durch Schlagworte wie Simultaneous Engineering, Just-in-Time, Lean Production/Manufacturing usw. Beim Simultaneous Engineering entwickeln Lieferanten komplette Baugruppen im Rahmen der Herstellervorgaben und koordinieren eigenverantwortlich ihre (Sub-) Lieferanten bei der Entwicklung von Untergruppen. Sublieferant kann auch der Hersteller sein. Auch bei klar geregelter Entwicklungsverantwortung gibt es Informationsbeziehungen zu parallelen Entwicklungen anderer Systeme und Module, wenn Gleichteile verbaut werden sollen. Die Veränderung der Arbeitsteilung läßt sich nicht ohne eine entsprechende EDI-Unterstützung und eine neue Qualität des Schnittstellen-Management bewerkstelligen.

Operativ bedeutet dies eine bedeutend intensivere und vernetzte Zusammenarbeit zwischen den Fahrzeugherstellern und ihren Zulieferern, aber auch der Zulieferer untereinander. Die Zusammenarbeit vollzieht sich über den vollen Lebenszyklus eines Teiles oder Modules in den Phasen Produktidee, Konstruktion, Lieferung von Prototypen, Serienlieferung und Auslauf einer Produktreihe. Wurde früher der Lieferant frühestens nach der endgültigen Styling-Entscheidung in den Entwicklungsprozeß eingebunden, wird die Einbindung künftig bereits bei der Festschreibung des Zielkatalogs erfolgen. Der Entwicklungspartner ist an der Konzeptabsicherung beteiligt.

Durch die künftige Arbeitsteilung in der Fertigung wird eine verstärkte Informationsvernetzung der Lieferanten erforderlich, damit der Belieferungsprozeß von der Disposition bis zur Anlieferung und Bezahlung auf den verschiedenen ZSB-Ebenen beherrschbar bleibt. Die Gestaltung der Geschäftsprozesse im Belieferungsverkehr mit Lieferanten berücksichtigt inzwischen voll die durch EDI gegebenen Möglichkeiten. Deutlich wird diese Tendenz z. B. bei produktionssynchronen Anlieferungen. Armaturentafeln, Frontends oder Schiebeausstelldächer werden fahrzeugbezogen in der Sequenz der Montage in Auftrag gegeben und von den Lieferanten angeliefert. Die Kapitalbindung kann trotz hoher Variantenbreite in solchen speziellen Belieferungsformen auf Null reduziert werden. Bei tages- oder schichtgenauen Feinabrufen wird die Kapitalbindung auf ein Minimum reduziert. Die EDI-Anbindung der Lieferanten ermöglicht schnelle Reaktionszeiten, wie sie in solchen Belieferungskonzepten gefordert sind.

Die oben geschilderten Erfordernisse der internen und externen Prozesse werden bei der Gestaltung von EDI in der Zukunft höhere Flexibilität und eine Öffnung zu anderen Branchen und Märkten

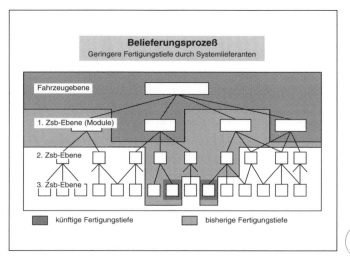

**Bild 3
Arbeitsteilung in der
Produktfertigung**

verlangen. Diese Anforderungen können langfristig durch die »alten« VDA-Standards mit festen Satz- und Datenelementlängen nicht mehr bedient werden. Darum hat Volkswagen initiativ und treibend bei einer neuen Zielsetzung und der Verfolgung eines neuen Weges im Verband der deutschen Automobilindustrie (VDA) und in der Organisation for Data Exchange and Tele Transmission in Europe (ODETTE) mitgearbeitet.

Die deutsche Automobilindustrie hat als eine der ersten Industrien bereits 1975 zur besseren Kommunikation der Zusammenarbeit zwischen Herstellern und Zulieferern die Entwicklung von Nachrichtenstandards initiiert. Die erste Nachricht wurde 1978 eingesetzt. Diese Initiative beschränkte sich allerdings auf das Geltungsgebiet des nationalen Branchenverbandes. Als Ergebnis entstanden bis heute 19 Nachrichten sowie Verfahrensguidelines für den Belieferungsprozeß, Checklisten, Standardvordrucke und CAD/CAM-Standards.

Mit der Europäisierung der Geschäftsbeziehungen entstand 1985 die Initiative zur Gründung von ODETTE, der Organisation for Data Exchange by Tele Transmission in Europe. Anders als der VDA hatte ODETTE zunächst ausschließlich die Standardisierung und Implementierung des elektronischen Datenaustausches zum Ziel.

Die Mitgliedsländer der ODETTE-Organisation hatten bis 1985 keine dem VDA vergleichbare Implementierung von EDI-Anwendungen.

Schon bald nach der ersten Verfügbarkeit von ODETTE-Nachrichten konnten diese relativ schnell zum Einsatz gebracht werden. In Deutschland bestand diese Notwendigkeit nicht, die eingesetzten VDA-Nachrichten erfüllten alle Ansprüche. Die deutschen Zulieferer mußten ihre ausländischen Kunden jedoch mit dem ODETTE-Standard bedienen, so daß ODETTE eine entsprechende Verbreitung in der Zulieferindustrie erreicht hat. Die deutschen Hersteller haben inzwischen entsprechende Vorbereitungen zum Einsatz von ODETTE-Nachrichten getroffen. Im VDA wurden für einige ODETTE-Nachrichten Verwendungsempfehlungen für den Bereich des VDA erarbeitet, um die Kompatibilität der Informationen in den Prozessen sicherzustellen. Bei einigen Nachrichten war dies nicht möglich, da wesentliche Datenumfänge in ODETTE fehlten (z. B. AVIEXP – VDA 4913). Von ODETTE wurden bis 1991 ca. 25 Standard-Nachrichten definiert.

Bild 4
EDI-Nachrichtenent-
wicklung und EDI-
Nachrichteneinsatz

1986 wurde daher die EDIFACT-Initiative positiv beobachtet, in der Hoffnung, daß ein »Weltstandard« alle Probleme lösen könnte. ODET-

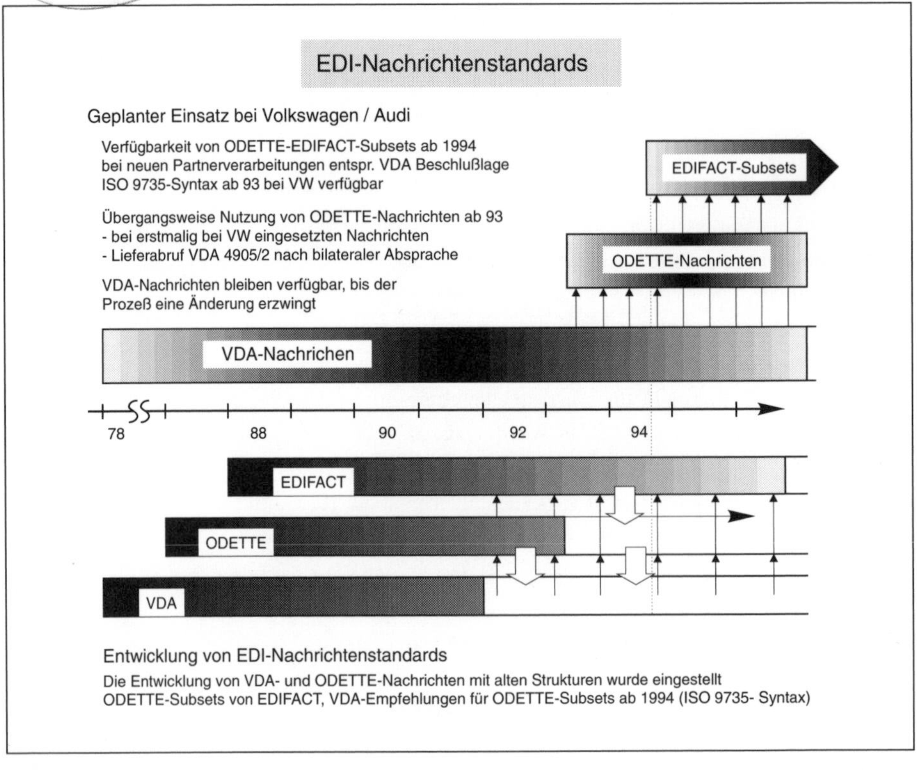

EDI-Nachrichtenstandards

Geplanter Einsatz bei Volkswagen / Audi

Verfügbarkeit von ODETTE-EDIFACT-Subsets ab 1994
bei neuen Partnerverarbeitungen entspr. VDA Beschlußlage
ISO 9735-Syntax ab 93 bei VW verfügbar

EDIFACT-Subsets

Übergangsweise Nutzung von ODETTE-Nachrichten ab 93
- bei erstmalig bei VW eingesetzten Nachrichten
- Lieferabruf VDA 4905/2 nach bilateraler Absprache

ODETTE-Nachrichten

VDA-Nachrichten bleiben verfügbar, bis der
Prozeß eine Änderung erzwingt

VDA-Nachrichen

| 78 | 88 | 90 | 92 | 94 |

EDIFACT

ODETTE

VDA

Entwicklung von EDI-Nachrichtenstandards
Die Entwicklung von VDA- und ODETTE-Nachrichten mit alten Strukturen wurde eingestellt
ODETTE-Subsets von EDIFACT, VDA-Empfehlungen für ODETTE-Subsets ab 1994 (ISO 9735- Syntax)

TE stellte als ersten Schritt ihre Syntax auf den UN/EDIFACT-Standard ISO 9735 um. Es dauerte jedoch bis 1990, als die Erkenntnis reifte, daß damit weder die Verfügbarkeit der notwendigen Daten noch die ausschließliche Nutzung von EDIFACT-Nachrichten in der Automobilbranche sichergestellt sei. Ein deutscher Zulieferer würde auf lange Sicht – bei entsprechenden Geschäftsbeziehungen – parallel VDA und ODETTE und EDIFACT oder ANSI X.12 bedienen müssen.

Der VDA hatte eher abwartend und passiv an der ODETTE-Entwicklung teilgenommen, mit dem oben genannten Ergebnis der Inkompatibilität zwischen VDA- und ODETTE-Nachrichten. Mit der Einsicht, daß die VDA-Nachrichten den gestiegenen Anforderungen für einen interventionslosen Datenaustausch – insbesondere mit dem europäischen Ausland – nicht mehr entsprechen würden, änderte der VDA 1991 seine Position und Strategie in ODETTE. Der ODETTE-Standard drohte sich als reiner Branchenstandard zu einer Insel zu entwickeln. Die Zulieferindustrie erkannte die Probleme, wenn Kunden aus anderen Branchen andere Standards (EDIFACT-Nachrichten) verlangen würden. VDA-Delegierte in den ODETTE-Gremien stellten daher die Weiterentwicklung von ODETTE-Nachrichten als Branchenstandard mit einer von EDIFACT abweichenden Nachrichtenstruktur in Frage. Sie drängten massiv auf eine Veränderung der damals vorhandenen ODETTE-Strategie und auf eine verbesserte Form und Strategie der Zusammenarbeit mit den EDIFACT-Gremien. Als Ergebnis wurde in 1991 mit der Konvertierung der vorhandenen ODETTE-Nachrichten in EDIFACT-Nachrichten begonnen. Bei der Umstellung haben die Vertreter der deutschen Automobilindustrie einen entscheidenden aktiven Part eingenommen. 1992 faßte der VDA auch formal den entscheidenden Beschluß, die eigene Nachrichtenentwicklung auf Basis von festen Satzstrukturen endgültig einzustellen.

ODETTE wie auch EDIFACT sind jedoch keine schlanken Nachrichten im herkömmlichen Sinne von Standards. Sie sind eher ein Informations- und Datenrahmen, in den der Informationsbedarf aller heute bekannten Geschäftsvorgänge unbesehen eingebracht wurde. Die Arbeit war technisch orientiert, ohne Anforderungen und Bedarf bestimmter Abwicklungen und Informationen in Frage zu stellen. Mit Einführung der ODETTE-Nachrichten war daher nach einiger Zeit insbesondere bei den Zulieferern die Enttäuschung darüber groß, daß die Zusammenarbeitsmechanismen weiterhin so vielfältig waren wie vorher. Unterschiedliche Segmente können für die Übertragung gleicher Datenfelder benutzt werden, und umgekehrt werden die gleichen Datenelemente durchaus für die Übertragung unterschiedlicher Daten herangezogen. Jeder Hersteller beschrieb seine Anforderungen an die Daten und deren Verarbeitung in spezifischen Implementation-Guidelines.

ODETTE wird, um dem entgegenzuwirken, als offiziell angemeldete Branchenorganisation sogenannte EDIFACT-ODETTE-Subsets für alle branchenrelevanten Nachrichten definieren. Diese Subsets werden offizielle EDIFACT-Nachrichten; ein Subset wird gebildet als eine Untermenge der Original-Nachricht unter Beachtung der Mandatory/Conditional-Anweisungen. In einem weiteren Schritt wird der VDA in gewohnter Art seine Verwendungsempfehlung für diese ODETTE-Subsets im Geltungsbereich des VDA herausgeben. Diese Initiative stellt für den Bereich der europäischen Automobilindustrie sicher, daß die Unterschiede in der Nutzung minimiert und kontrolliert werden. Die VDA-Empfehlungen ersetzen weitgehend die Implementation Guidelines der EDI-Partner. Damit wird der heute anerkannte gute Stand der Vereinheitlichung beibehalten.

Reduzierung der Format Vielfalt

**Bild 5
EDI-Standardi-
sierung/Normung
nach 1990**

Diese neuen Verfahrensweisen und die stützenden EDI-Notwendigkeiten können nicht branchenunabhängige Organisationen erarbeiten.

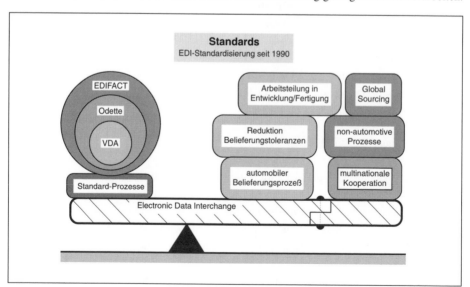

Deshalb wird die Bedeutung der Branchenorganisationen als gestaltendes Element in EDIFACT in der Zukunft immer wichtiger. Ein Ergebnis muß sein, daß die EDI-Nachrichten wieder überschaubare und handhabbare Standards im herkömmlichen Sinne werden.

Die Standardisierung darf jedoch nicht bei der Vereinheitlichung der Datenformate halt machen. Die eigentliche Kernaufgabe ist die einheitliche Gestaltung der Geschäftsprozesse. Die Hoffnung, daß durch Einführung von ODETTE bzw. EDIFACT auch eine Standardisierung der Geschäftsbeziehungen einhergehen würde, wurde nicht erfüllt. Überraschen konnte dies allerdings nicht.

In der ersten EDIFACT-Euphorie schien das Thema EDI-Implementierung nach der Beschaffung eines EDI-Konverters kein Problem mehr zu sein. Der EDI-Praktiker weiß, daß vor dem Austausch von Nachrichten die Reorganisation des Geschäftsprozesses – der eigentliche EDI-Aufwand – steht. Die Logistikgruppe von ODETTE hat sich seit 1991 der Entwicklung von »Best Practice«-Geschäftsbeziehungen als Grundlage für den weiteren EDI-Ausbau gewidmet. Die VDA-Empfehlungen haben in gleicher Weise als festen Bestandteil seit langem die Beschreibung des Prozesses und das Zusammenwirken mit anderen Nachrichten. Darüber hinaus wurde die VDA-Empfehlung 5000 zur Ausgestaltung logistischer Prozesse erarbeitet.

Eine Lösung für die schwierige, jedoch wichtige Frage nach der Verfügbarkeit von Nachrichten aufgrund sich kurzfristiger einstellender Notwendigkeiten muß jedoch noch gefunden werden (vorläufige Nachrichten). Die Änderung einer Nachricht braucht beim VDA ca. 6 Wochen, bei ODETTE ca. 6 Monate, bei EDIFACT 2 Jahre. Prozeßveränderungen nehmen jedoch keine Rücksicht auf die Schwerfälligkeit von Standardisierungsorganisationen. So klar und transparent sich das angestrebte Ergebnis darstellt, so schwerfällig und schwierig erwies sich der Weg durch den kräftezehrenden EDIFACT-Prozeß nach der Umstellung in der Automobilbranche. Daher wurde für die Verfolgung der neuen Vorgehensstrategie sowohl die Zusammenarbeit zwischen EDIFACT und ODETTE, zwischen ODETTE und VDA als auch im VDA selbst neu konstruiert. Da die Standardisierungsarbeit mit Herausgabe der automobilrelevanten EDIFACT-Nachrichten in 1994 nicht beendet sein wird, ist dieser Aufwand eine Zukunftsinvestition.

Bei der Entwicklung schlanker Prozesse und schlanker EDI-Nachrichten zeigt sich immer wieder, wie schwer es vielen an diesem Prozeß Beteiligten fällt, heute übliche Abwicklungen in Frage zu stellen mit dem Ziel, wirklich schlanke und in der Zusammenarbeit verläßliche Verfahrensweisen zu definieren. Es bedeutet gravierende Veränderungen sowohl bei den Zulieferern, aber viel mehr bei den Herstellern. Jeder – insbesondere »die Großen« – müssen sich hier bewegen, denn es gilt nicht eine einzelne Geschäftsbeziehung zu optimieren, sondern die europäische Automobilindustrie in ihrer Wettbewerbsfähigkeit insgesamt.

EDI als strategischer Erfolgsfaktor für Systemlieferanten

Bernd E. Meyer

1. Zur Situation in der Automobilindustrie

Die Automobilindustrie steckt nicht nur in Deutschland, sondern europaweit in einer tiefen Krise. Der drastische Rückgang der Neuzulassungen (bis zu 25 %) wird überlagert von rezessiven Tendenzen und einem starken konjunkturellen Abschwung. Die für die deutschen Hersteller schwierigen wirtschaftlichen Rahmenbedingungen (Steuerpolitik, Tarifpolitik, Umweltauflagen) und der vor allem durch Japan und die USA gestartete Verdrängungswettbewerb zwingen zu einem Kampf ums Überleben.

→ kein Wachstum, Kostendruck

→ internationaler Wettbewerb

→ Konzentrationsprozesse bei Herstellern und Zulieferern

→ Global Sourcing/Global Manufacturing

→ Berücksichtigung individueller Kundenwünsche

→ Prozeßorientierte Ablauforganisation und Strukturen
in der Fertigung, Entwicklung und Verwaltung
(Abbau ganzer Hierarchie-Ebenen)

→ Änderung der Hersteller-Zulieferer-Beziehung:
- Systemlieferanten,
- Simultaneous Engineering,
- JIT-Anbindung,
- EDL-Integration,
- Kommunikation
- Technologieparks.

**Bild 1
Strukturveränderungen in der europäischen Automobilindustrie**

Nicht zuletzt durch die erkennbare Produktivitätslücke zu Japan (25 % und mehr) wird der Strukturwandel in der Automobilindustrie beschleunigt. Kürzere Produktlebenszyklen und eine steigende Produktvielfalt zwingen zu neuen Strategien.

2. Der Wandel im Hersteller-Zuliefer-Verhältnis

Die europäischen Automobilhersteller werden auch in Zukunft die Fertigungstiefe weiter reduzieren. Das Outsourcing von Teilen und Systemen wird sich bis 1995 weiter verstärken. Neben verstärkten Aktivitäten zum weltweiten Einkauf (Global Sourcing) erleben wir derzeit einen rasanten Übergang zum Modular Sourcing, d. h. der Hersteller wird zunehmend dazu übergehen, nicht nur Einzelteile sondern ganze Systemkomponenten an das Band anliefern zu lassen.

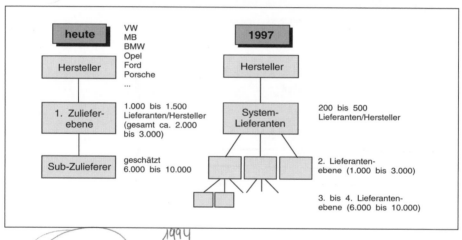

**Bild 2
Markt Automobil-
Industrie**

1994

Haben heute die großen Automobilhersteller in Deutschland ca. 800 bis 1.200 Teilelieferanten für ihre Produktion, so wird sich deren Anzahl bis 1996 drastisch verringern. Erklärtes Ziel der Hersteller ist es, dann nur noch ca. 100 bis 200 sogenannte Systemlieferanten in Werksnähe zu haben. Automobilhersteller, wie z. B. Mercedes-Benz, sind derzeit dabei, ganze Industrieparks in Werksnähe anzusiedeln, um dort Systemlieferanten die Möglichkeit zu geben, Systeme zu montieren und direkt an das Band zu liefern. Der nächste Schritt, den Systemlieferanten zu beauftragen, am Band das Teil selbst einzubauen, wird bei einigen Herstellern schon geplant.

DATACOM • EDI

*Lieferant sieht dies negativ
→ Lohnkostenvergleich*

Die Hersteller haben erkannt, daß sich die Preise für ihre Produkte am Markt nicht beliebig durchsetzen lassen. Zur Zeit wird von allen Herstellern mehr Leistung bei gleichem Preis angeboten. Das Stichwort in diesem Zusammenhang heißt Target Pricing; das bedeutet, der Hersteller fixiert einen am Markt erzielbaren Preis und leitet daraus die Kosten für Produktion und für die Zulieferteile ab. Der Systemlieferant ist ebenfalls mit diesem Target Pricing konfrontiert und wird in Zukunft überwiegend Lifetime-Verträge mit über die Jahre degressiven Preisen abschließen müssen.

Diesen Kostendruck abzubauen gelingt nur durch gemeinsame Rationalisierung entlang der gesamten Wertschöpfungskette vom Hersteller über den Systemlieferanten, dessen Vorlieferanten bis zum Rohstofflieferanten. Die Anbindung von Systemlieferanten bedeutet Single Sourcing für ein System. Dies gelingt allerdings nur, wenn der Lieferant frühzeitig in die Produktentwicklung des Herstellers mit eingebunden ist. In der frühen Phase der Modellplanung wird es einen Konzeptwettbewerb geben, der Grundlage für die Auswahl des Systemlieferanten darstellt. In Zukunft werden sich nur noch diejenigen Lieferanten als Systemlieferanten durchsetzen, die über ein großes Entwicklungs- und Innovationspotential verfügen und die in ihrem Bereich Technologieführer sind. Sie müssen eine qualitätsorientierte und kostenoptimierte Entwicklung aufzeigen. Die durchgängige Logistik vom Hersteller über den Systemlieferanten und die Einbindung der Vorlieferanten mit Just-in-Time-Kompetenz ist selbstverständlich. Effiziente Logistiksysteme, komplett kompatible EDI-Systeme sind weitere wichtige Voraussetzungen.

3. EDI und Simultaneous Engineering

Die frühzeitige Einbindung des Zulieferers in die Entwicklung eines Fahrzeuges setzt die Anwendung von Simultaneous Engineering-Konzepten voraus. Hierbei spielt vor allem der zeitnahe Austausch von technischen Daten, wie z. B. CAD- und Engineering-Daten, eine wesentliche Rolle.

Gegenwärtig erfolgt der CAD-Datenaustausch weitgehend durch den Transfer von Magnetbändern. Dies führt nicht nur zur Verzögerung auf

Bild 3
Die Anforderungen

dem Postweg, sondern auch zu zeitaufwändigen Konvertierungsakti-vitäten bei Inkompatibilität der Bandstation. Das gesamte Handling von Magnetbändern erfordert zudem einen beträchtlichen Personal- und Zeitaufwand. Der Einsatz von EDI bringt nicht nur Zeit-, sondern auch wesentliche Kostenvorteile. Die elektronische Übermittlung von Daten führt zu schnelleren Durchlaufzeiten, leichte Änderungen und Optimierungen der Teile können wesentlich häufiger stattfinden. Ein vergrößertes Produktspektrum kann in kürzerer Zeit bearbeitet wer-den. Damit läßt sich die Entwicklung neuer Modellreihen wesentlich beschleunigen. Insgesamt ist festzustellen, daß die beteiligten Partner ihre Konkurrenzfähigkeit, ihre Rentabilität und die Produktivität durch den Einsatz von EDI verbessern können.

Bild 4
Simultaneous
Engineering

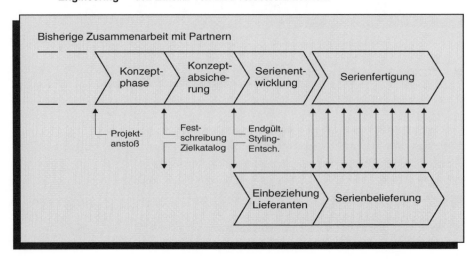

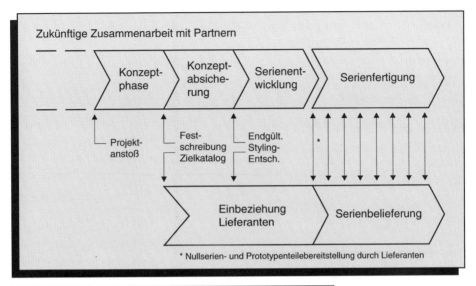

Bild 5
Simultaneous
Engineering

• Übertragung großer Dateien (2 bis 10 MB) unterschiedlicher Formate

• Übertragung von beschreibenden Daten zu den Dateien (Engineering Data-Nachricht)

• Nutzung des robusten Odette File Transfer-Protokolls (OFTP)

• Nutzung des weit verbreiteten X.25 (in Deutschland: Datex-P) oder

• der schnellen und kostengünstigen ISDN-Technik

Bild 6
EDI für CAD/CAM-Datenaustausch

Für den Austausch von CAD-Daten empfiehlt der Verband der Deutschen Automobilindustrie (VDA) den Einsatz des File Transfer-Protokolls ODETTE unter Nutzung von ISDN, das heute schon große Verbreitung im In- und Ausland gefunden hat.

Der VDA als Normungsgremium hat die Absicht, die Standardisierung des CAD-Datenaustausches mit einer EDIFACT-Nachricht zu erreichen. Als Übergangslösung wurde eine VDA-Empfehlung erarbeitet, die sich an der ODETTE-ENGDAT-Nachricht orientiert.

- Nachricht für den Austausch von CAD/CAM-Daten

- Verfahrensbeschreibung für ODETTE EDGDAT-Nachricht Version 1 vom 18. Juni 1992

- Empfehlung zur Nutzung von OFTP

- gleichlautende Richtlinie von GALIA (F)

- erfordert Service Segment Handler für CAD-Datenaustausch

- individuelle Integration in das CAD/CAM-System

Bild 7
VDA 4951: Enginee-
ring Data Message

Bei der Übertragung von großen CAD-Datenbeständen kommt man mit PC-basierten Systemen schnell an eine Grenze. Da ist es sinnvoll, das EDI-System für CAD-Datenaustausch unter UNIX auf einer Anlage der mittleren Datentechnik zu realisieren. Die Vorteile liegen im hohen Übertragungsdurchsatz, in der schnellen Datenübertragung auf vielen logischen Kanälen gleichzeitig, in der Integration des Applikationssystems über ein LAN, in der leichten Integration der EDI-Komponente, wenn CAD-System oder PPS-System unter UNIX laufen.

4. EDI und Just-in-Time

Systemlieferant für einen Hersteller zu sein, setzt voraus, in örtlicher Nähe des Herstellerwerkes Montageeinrichtungen aufzubauen. Dies bedeutet eine zeitnahe und prozeßorientierte Verknüpfung der Kommunikationswege zwischen Hersteller und Systemlieferant sowie Systemlieferant und seine Vorlieferanten. ⟶DEDI

Unterschiedliche dispositive Informationen auf unterschiedlichen Ebenen ermöglichen dem Systemlieferanten, seine Montage und die Bereitstellung von Fertigungsmaterial seitens seiner Vorlieferanten zu planen und zu steuern. Der Lieferabruf (LAB, VDA 4905), den der Lieferant wöchentlich bzw. monatlich erhält, umfaßt im kurzfristigen Bereich (ca. 4 – 8 Wochen) teilweise noch recht ungenaue Plandaten für die Lieferanten. Darüber hinaus enthält der LAB noch eine Vorschau bis zu 6 Monaten. Der Feinabruf (VDA 4915) enthält aus dem Produktionsplan der Herstellerwerke abgeleitete dispositive Zahlen für eine tagegenaue Ablieferung (Zeithorizont 10 – 15 Arbeitstage, dieser Feinabruf wird täglich übermittelt). Während der Lieferabruf

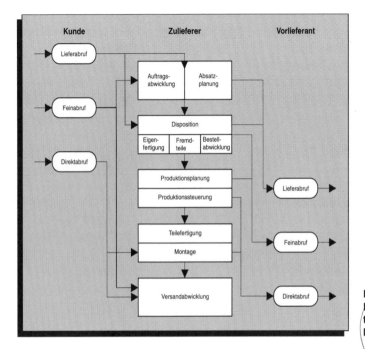

Bild 8
Dispositive Informationsstufen in der logistischen Kette

beim Systemlieferanten allenfalls dazu dienen kann, das Vormaterial zu disponieren, ist der Feinabruf für ihn schon ein gutes Planungsinstrument für seine Montage. Die Steuerung der Montage erfolgt in der Regel auf Basis produktionssynchroner Abrufe (VDA 4916), die die Online-Information für den Lieferanten enthalten, welche Teile in welcher Ausstattung er im Stundenbereich an das Band anzuliefern hat. Hierbei sind je nach Hersteller Impulse direkt aus dem Rohbau des Herstellers, teilweise auch aus dem Innenausbau im System des Lieferanten, direkt zu verarbeiten bis hin zur Online-Stücklistenauflösung. Die Optimierung der Gesamtlogistik und der Kosten setzt voraus, daß diese Information durchgängig durch das PPS bis hin zur Anbindung der Lieferanten mit Lieferabruf, Feinabruf und produktionssynchronen Abruf gestaltet wird. Klassische PPS- und EDI-Systeme sind hierzu heute noch nicht in der Lage.

Ein weiteres Just-in-Time-Konzept besteht in der Etablierung sogenannter Service-Zentren (externer Dienstleister zwischen Lieferanten und Hersteller). Alle großen deutschen Automobilhersteller werden heute schon aus solchen Service-Zentren mit Teilen und Systemen ans Band beliefert.

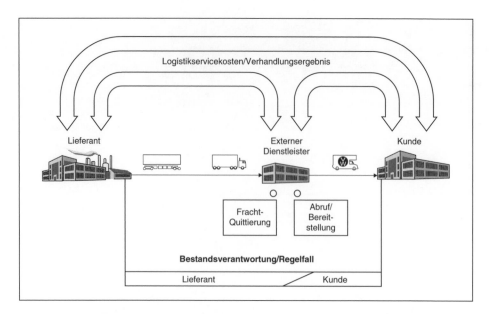

Logistikservicekosten/Verhandlungsergebnis

Lieferant

Externer
Dienstleister

Kunde

Fracht-
Quittierung

Abruf/
Bereit-
stellung

Bestandsverantwortung/Regelfall

Lieferant | Kunde

**Bild 9
Externe Versor-
gungszentren,
VDA-Empfehlung**

**Bild 10
Externe Versor-
gungszentren:
Informationsfluß-
schema SELAS
zwischen Lieferant-
EDL-VW**

Hierbei übernimmt in der Regel ein externer Dienstleister (z. B. Spediteur) das Assemblieren der Teile in seinem Logistik-Zentrum und die produktionssynchrone Anlieferung der Teile an das Band. Einige dieser externen Dienstleister qualifizieren sich derzeit zu Montagebetrieben für Systeme. Eine durchgängige Verknüpfung aller notwendigen Informationen zwischen Automobilhersteller und externem Dienstleister und dem beteiligten Lieferanten ist hierbei Voraussetzung. Neben den Bestell- und Lieferdaten ist die Übertragung von Bestandsdaten und der Abgleich der Bestände bei allen drei Partnern notwendig.

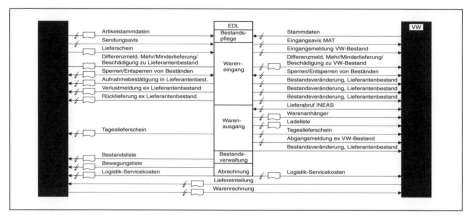

5. EDI und Global Sourcing, Global Manufacturing

Die Ausprägung zum Spezialisten setzt eine Internationalisierung seines Geschäftes voraus. Dies bedeutet, daß er zunehmend Produktionsbereiche ins Ausland verlagert und verschiedene internationale Hersteller beliefert. Es ist derzeit eine starke Internationalisierung der Eigentümerstruktur bei großen Zulieferern in Deutschland festzustellen. Dies ist vor allem unter dem Gesichtspunkt strategischer Allianzen unter Zulieferern zu sehen. Der weltweite Einkauf und die weltweite Produktion von Teilen erfordert eine weltweite Kommunikationsfähigkeit.

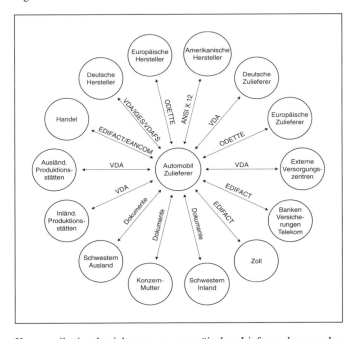

Bild 11

Kommunikationsbeziehungen zu europäischen Lieferwerken werden in der Regel auf den Nachrichtenstandards ODETTE/EDIFACT und dem ODETTE File Transfer-Protokoll basieren. In Abhängigkeit von der Partnerbeziehung wird die Anwendung weiterer Standards, wie z. B. X.400, gefordert. Weltweiter Nachrichtenaustausch geschieht in der Regel über Kommunikationsnetze privater Anbieter, z. B. IBM oder General Electric. Nordamerikanische Automobil- und Zulieferpartner verlangen zunehmend die Verwendung von ANSI-X.12-Standards für die Kommunikation.

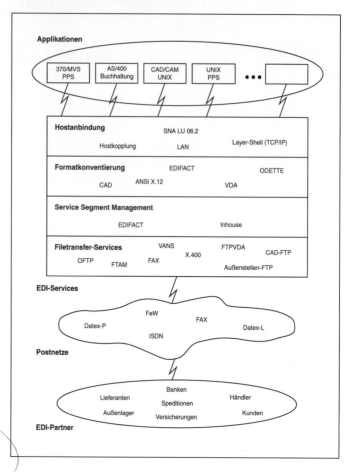

Bild 12 Applikationsumfeld

6. EDI und Lean Management, Lean Production und Lean Information Processing

Eine verhängnisvolle Krankheit hat sich in vielen Unternehmungen in den letzten Jahren eingeschlichen. Dies betrifft insbesondere auch die großen Systemlieferanten: Die Komplexität bzw. Überkomplexität. Die Komplexität:

- in der Planung und Steuerung der Fertigung,
- im Einsatz investitionsintensiver Hochtechnologien,
- in organisatorischen Abläufen,
- in den Kommunikations- und Informationsbeziehungen,
- im Einsatz nicht mehr bezahlbarer Informationssysteme

ist zu groß und in vielen Unternehmen nicht mehr zu bewältigen.

Die Komplexitätskosten führen zu drastischen Kostensteigerungen und Ertragsminderungen. Nicht zuletzt führen die übermäßige Produktvielfalt, die viel zu lange Wertschöpfungskette und der Drang zur Zentralisierung aller Aktivitäten zur Kostenexplosion. Ein Umdenken und Umkehren ist unbedingt erforderlich. Es gilt, die Komplexität zu zerschlagen. Die Grundsätze »keep it simple« und »small but beautiful« müssen schnellstens in den Köpfen unserer Manager Platz finden. Gerade im Bereich der Datenverarbeitung ist derzeit festzustellen, daß der technische Overkill zu überhöhten Kosten und Preisen führt. Der Versuch, die historisch gewachsene Komplexität im Unternehmen mit noch komplexeren DV-Systemen in den Griff zu bekommen, ist gescheitert. Die notwendigen Investitionen in Hard- und Softwaretechnologien sind nicht mehr zu bezahlen. Strategien zur Verbesserung der Situation und zur Zukunftssicherung sind hier zum einen Lean Production (schlanke Produktion) und Lean Management. Bei der schlanken Produktion wendet man sich ab von der taylorischen Arbeitsteilung und der Massenfertigung und zielt ab auf die Integration einzelner, wertschöpfender Prozesse und die Schaffung kleinerer, überschaubarer, selbststeuernder Regelkreise. Alle Tätigkeiten in einem schlanken Unternehmen werden an ihrem Beitrag zur Wertschöpfung am Produkt gemessen. Die Ausrichtung der gesamten Fertigung geschieht prozeßorientiert. Überflüssige, nicht wertschöpfende Tätigkeiten werden eliminiert. In vielen Unternehmen erreicht man dies z. B. durch kundenorientierte Fertigungssegmentierung und durch die Verknüpfung von wertschöpfenden Prozessen, wie z. B. Endbearbeitung, Kontrolle, Verpacken.

Die Schlankheitskuren betreffen insbesondere auch die Organisation. Hier gilt es, kleine, überschaubare, selbststeuernde Regelkreise zu schaffen. Das Ziel muß sein, kleine, schlagkräftige und ergebnisverantwortliche Unternehmenseinheiten zu bilden. Gerade im Automobilbereich ist man derzeit dabei, sowohl bei Herstellern als auch bei Zulieferunternehmen die großteils historisch gewachsenen Hierarchieebenen drastisch abzubauen. Die produkt- und prozeßorientierte Ausrichtung der organisatorischen Abläufe (durch Schaffen von ergebnisverantwortlichen Teams) führt zu einer starken Verkürzung der Informationswege, einer Verbesserung und Beschleunigung des Informationsflusses und einer Stärkung des Verantwortungsgefühls bei den Mitarbeitern.

Eine weitere Strategie besteht in der Einführung eines schlanken EDI- und Information Management. Gerade Systemlieferanten müssen sich derzeit über eine Neuorganisation der Datenverarbeitung unter den geänderten Anforderungen des Marktes Gedanken machen. Es geht auch hier kein Weg an der Komplexitätsreduzierung des Information Processing vorbei. Die firmeneigene Computerwelt muß bei vielen renoviert und vereinfacht werden. Dies geschieht, indem man alle zentralen Systeme zerlegt und zurechtschneidet auf die Bedürfnisse der selbststeuernden Regelkreise. Viele zentrale Datenverarbeitungssysteme bei Systemlieferanten schmücken sich mit hochleistungsfähi-

Bild 13
VDA 4951: Engineering Data Message

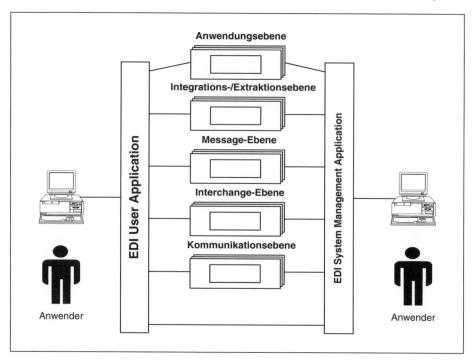

ger Hardware (Großrechensysteme) und hochintegrierter Software, die teilweise mit Millionenaufwand angepaßt werden mußte, um den spezifischen Bedürfnissen des Unternehmens gerecht zu werden. Zur Einführung und Wartung solcher Systeme sind Experten notwendig, über die diese Unternehmen selten verfügen und die am Markt nur noch schwer zu finden sind. Die Einführung hochintegrierter Software in Fertigungsunternehmen zeigt zudem, daß deren Komplexität durch die internen Abhängigkeiten nicht mehr zu durchschauen und zu beherrschen ist. Diese Systeme weisen wenig Flexibilität für den Fall organisatorischer Veränderungen – wie wir sie derzeit erleben – auf. Sie sind viel zu teuer in der Wartung und Weiterentwicklung. Darüber hinaus wird die Integration neuer Anwendungen oder auch firmenübergreifender Kommunikation erschwert. Ausgehend von einer schlanken Produktion und schlanken Organisation ist es notwendig, mit den neuesten Kommunikationstechnologien die internen Abläufe flexibel und effizienter zu gestalten. Gerade wegen ihrer Komplexität ist die Entwicklung hochintegrierter Softwaresysteme in eine Sackgasse geraten.

Für den Systemlieferanten ist es wichtig, darauf zu achten, daß bei einer schlanken Fabrik jeder Bereich das beste System auf moderner kostensparender Hardware erhält. Standardisierte Schnittstellen für eine reibungslose Integration sind notwendig. Für die konzerninterne oder auch die firmenübergreifende Kommunikation ist es notwendig, heute schon ausgereifte EDI-Systeme einzusetzen, die mit einer vernünftigen Kosten-Nutzen-Relation diese Schnittstellen unterstützen

Just-in-Time-Belieferung mit Schiebedächern – ein EDI-Beispiel –

Alfons Oer

»Volkswagen, EDI-Partner to the World« oder »Volkswagen EDI-Partner der Welt und der Region«, wie es auf der Schautafel des CeBIT-Messestandes in Hannover 1994 hieß, ist gleichzeitig Zustandsbeschreibung und Zielsetzung.

Volkswagen und die gesamte Automobilbranche praktizieren zwar EDI (Electronic Data Interchange) zur Unterstützung der Hauptgeschäftsprozesse, quantitativ und qualitativ befindet sich EDI aber erst am Anfang einer enormen Ausbauphase. Das EDI-Praxis-Beispiel »Just-in-Time-Belieferung mit Schiebedächern« soll vor dem Hintergrund des standardmäßig praktizierten elektronischen Datenaustausches zwischen Lieferanten und Herstellern im Verband der Automobilindustrie (VDA) und bei Volkswagen dargestellt werden.

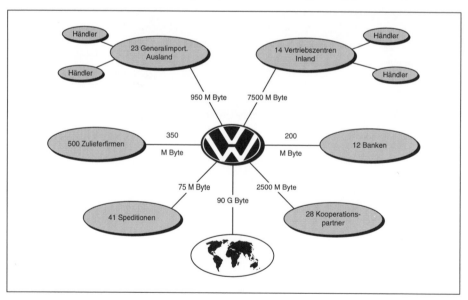

Bild 1
EDI-Ausbau bei Volkswagen

Für die Ausbreitung der weltweiten internen und externen Unternehmensprozesse mit Banken, Speditionen und den Zulieferern war die elektronische Kommunikation Voraussetzung. EDI hat bei Volkswagen nach mehr als 15 Jahren Praxis ein beträchtliches Ausbauvolumen erreicht und ist in den Geschäftsprozessen unverzichtbarer Bestandteil geworden. Wie das Bild 1 zeigt, bilden die Zulieferer die zahlenmäßig stärkste Gruppe der EDI-Partner. Der elektronische Datenaustausch mit den Lieferanten von Produktionsmaterial stützt sich auf die vom Verband der Automobilindustrie (VDA) empfohlenen Standards (Nachrichten und Übertragungsprotokolle). Bei Volkswagen wird heute – *1994* neben dem Produktentwicklungsprozeß – der Belieferungsprozeß für Produktionsmaterial (einschließlich Zahlungsabwicklung) mit EDI unterstützt. In beiden Prozessen ist derzeit eine fundamentale Verlagerung der Arbeitsteilung zu beobachten. Weltweit werden nach fernöstlichem Vorbild bei den Automobilherstellern Entwicklungs- und Fertigungstiefe reduziert.

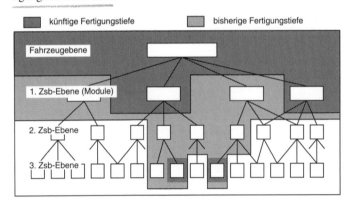

**Bild 2
Arbeitsteilung in der
Produktfertigung**

Das 2. Bild »Arbeitsteilung in der Produktfertigung« zeigt die Verlagerung in die 1. Zusammenbauebene (Modulebene) unterhalb der Fahrzeugebene schematisch. Als Beispiel für ein Modul der 1. ZSB-Ebene wird ein Frontend-Modul gezeigt, wie es bei VW-Sachsen in Mosel just-in-time an die Montagelinie geliefert wird.

Die Fertigungstiefenreduzierung in der Automobilindustrie hat nicht nur Auswirkungen auf Lieferumfang und -verfahren; die Lieferanten werden künftig wesentlich stärker und früher in den Produktentwicklungsprozeß mit voller Entwicklungsverantwortung eingebunden werden. Weil eine durchgängige räumliche Zusammenführung der externen Entwicklungspartner während der Projektdauer – wie bei internen Entwicklungsteams – nicht möglich ist, erfolgt die notwendige Synchronisation des Produktentwicklungsprozesses zwischen Lieferanten und Hersteller auf der Basis von CAD-/CAM-Datenstandards.

Volkswagen hat für die Belieferung im Kaufteile-Bereich verschiedene Modelle entwickelt, die zwischen VW und den Zulieferern zum Einsatz kommen. Die Entscheidung, welche Strategie für einen Kaufteileumfang zur Anwendung kommt, orientiert sich am Optimum des Gesamtprozesses der logistischen Kette. Sie hat die Reduzierung der Gesamtkosten besonders der Handhabungs- und Bevorratungskosten für den Prozeß (Fertigung, Lagerung und Transport) zum Ziel, sowohl beim Partner als auch bei Volkswagen.

Für die Umsetzung der verschiedenen Materialabrufverfahren, ausgehend von der Reduzierung interner Läger über die externen Versorgungszentren bis zu den Feinsteuerungs- und Just-in-Time-Projekten, war die schrittweise Verbesserung der Bedarfsplanung und die Einführung neuer Informations-Systeme eine Voraussetzung. Die Bedarfsinformationen an die Lieferanten konnten durch neue Nachrichtenstandards erweitert und verbessert werden. Entsprechend den zeitlichen Anforderungen erfolgt eine direkte Informationsanbindung der Partner. Zur Anwendung kommen Datenleitungen der Post vom Typ Datex-P und Datex-L, die für Just-in-Time-Projekte direkt als Standleitung vom Montagesteuerungsrechner zu den Lieferanten geschaltet sind. Die Übertragung der Daten erfolgt mit VDA-Protokollen.

**Bild 3
Kaufteile-Abrufverfahren**

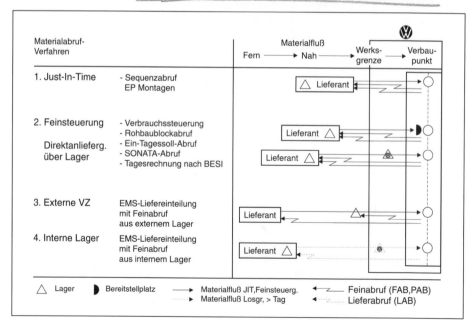

Unter Just-in-Time verstehen wir bei Volkswagen ausschließlich die Anlieferung von Produktionsmaterialien, die auf direktem Wege aus der Fertigung beim Lieferanten an den Verbaupunkt bei VW transportiert werden. Damit stellt JIT die sparsamste Form des Fertigungs- und Materialflusses dar (Lagerbestand = 0). Neben den Kosten für Lager und Material ist vor allem das reduzierte Materialhandling ein wichtiger Punkt in der JIT-Nutzenanalyse. Bei JIT-Belieferung werden die Teile beim Lieferanten direkt in den Transportbehälter gefertigt und stehen nach jeweils einem Be- und Entladevorgang sequenzgerecht an den Linien des Herstellers zur Verfügung.

In der Vergangenheit wurde bei der Wahl der JIT-Belieferungsform die Vermeidung von Investitionen in Technik und Gebäude (Fläche) als wichtigster Aspekt angesehen. Daher wurde JIT häufiger in neu konzipierten Montagewerken installiert als an älteren Montagestandorten. Am VW-Standort Emden wird JIT mit 2 Modulen, am Standort Wolfsburg mit einem Modul – dem Schiebe-Ausstelldach – praktiziert. Das jüngste, neu errichtete VW-Montagewerk Mosel bei Zwickau wird von über 20 Lieferanten »Just-in-Time« mit Fahrzeugmodulen beliefert. Für diese Belieferungsform wurden von den Lieferanten

**Bild 4
JIT-Nutzenpotentiale
und Bedingungen**

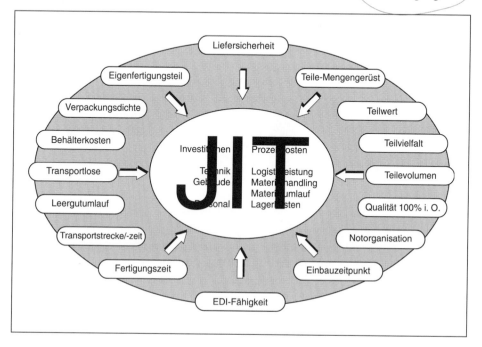

Fertigungsstätten in der Region Zwickau eingerichtet. Bei der Verlagerung Entwicklungsverantwortung für komplette Module neuer Fahrzeugtypen wird auch die Montage der Module an unsere Partner übergehen (Forward Sourcing). Daher wird auch an den »alten« VW-Montagestandorten Just-in-Time langfristig an Bedeutung gewinnen. Standortunabhängig muß eine Reihe von Bedingungen erfüllt sein oder geschaffen werden, um JIT als beste Belieferungsalternative gestalten zu können.

Das tägliche Liefervolumen für SAD- (Schiebe-Ausstell-Dach) Module der Typen Golf und Vento wurde mit 3.000 Stück geplant. Die Fertigung erfolgt in nur einer Fertigungsstätte des Lieferanten im ca. 20 km von Wolfsburg entfernten Gifhorn. Die JIT-Belieferung und die Montage der SAD-Module beim Lieferanten wird nur für die Serie des Werkes Wolfsburg praktiziert. Die übrigen Empfängerwerke werden über Lieferabrufe und Anlieferung von nicht montierten Einzelteilen gesteuert.

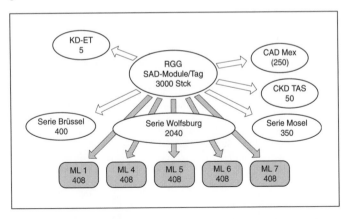

**Bild 5
SAD-Module,
Volumen pro Tag**

Um die sequenzgerechte Anlieferung verwirklichen zu können, ist es erforderlich, den JIT-Partner mit allen benötigten Daten des geplanten und laufenden Prozesses zu versorgen, die es ihm ermöglichen, die benötigten Teileumfänge synchron zur Fahrzeugmontage zu produzieren und anzuliefern. Volkswagen bedient sich beim Austausch elektronischer Daten der im VDA vereinbarten Standardnachrichten Lieferabruf und Feinabruf. Entsprechend dem Lieferabruf mit einem Vorschauzeitraum von 3 Wochen bis zu 6 Monaten disponiert der JIT-Partner seine Einzelteilfertigung, beauftragt gegebenenfalls seine Unterlieferanten und plant Lagerbestände.

DATACOM • EDI

In diesem Fallbeispiel gilt der Lieferabruf für das gesamte Liefervolumen also auch für die Umfänge, die nicht über Feinabruf oder produktionssynchronen Abruf feingesteuert werden. Lieferabrufzahlen basieren auf Prognosen des Verkaufsprogramms; Trends des aktuellen Bestellprogramms sind berücksichtigt. Zur Steuerung der Vorfertigung und Lagerkontrolle erhält der JIT-Lieferant täglich einen Feinabruf über ein Vorschauzeitraum bis zu einer Woche. Der Feinabruf beinhaltet das Spektrum von kumulierten Ist-Erfassungszahlen aus Rohbau und Lackiererei bis hin zum geplanten Tagesprogramm des Montagewerkes (2 bis 3 Tage vor Rohbauauflage). Der JIT-Lieferant erhält über diese Abrufe hinaus einen produktionssynchronen Abruf zur Steuerung seiner Montage. Der produktionssynchrone Abruf ist ein individueller Montageauftrag, hinter dem bei Volkswagen ein Kundenauftrag (Fahrzeugbestellung) mit einer Auftragsnummer steht. Die Fertigung des JIT-Moduls beim Lieferanten läuft in gleicher Sequenz wie die Fahrzeugmontage bei Volkswagen. Zwischen produktionssynchronem Abruf und Materialübernahme am Einbaupunkt stehen im kürzesten Fall für Fertigung, Beladung und Transport weniger als 2 Stunden zur Verfügung.

**Bild 6
JIT: Synchronisation der Prozesse**

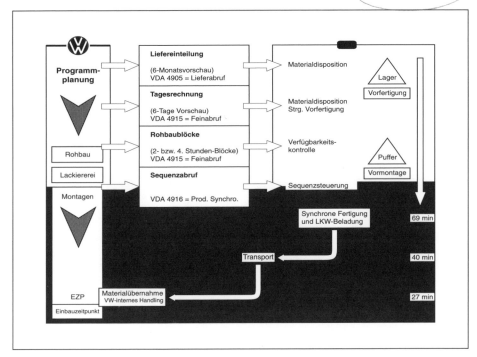

Bei Just-in-Time werden die angelieferten Module nicht mehr in der Warenannahme registriert. Der Bestandsübergang erfolgt durch den Verbau der Module im Endprodukt. Der transportbegleitende Lieferschein und das elektronische Material-Avis entfallen bei Just-in-Time. Die Bezahlung des (täglich) gelieferten Umfanges erfolgt durch einen Anstoß aus dem VW-Montagesteuerungssystem, d. h. durch Abgrenzung in der Montage-Sequenz. Die gelieferten Module einer Abgrenzungsperiode weist der Lieferant in einem »Tages-Sammel-Lieferschein« aus, der im VDA-Standardformat per EDI übertragen wird. Die weitere Abwicklung der finanziellen Regulierung erfolgt mit dem Gutschriftsverfahren, das bei Volkswagen als Standardverfahren angewendet wird.

Überbetriebliche Kommunikation durch Multimedia

Thomas Jaspersen

Multimedia läßt sich als eine Kombination von Texten, Abbildungen, Video-Sequenzen, Animationen, Tönen und Geräuschen definieren, die sich alle interaktiv durch einen Computer kontrollieren lassen. Der Umgang mit solch komplexen Systemen beinhaltet zwangsläufig drei Phasen:

- die Generierung,
- die Einführung und
- die Nutzung

von Multimedia, wobei Generierung und Implementierung ineinander übergehen, da es für Computersysteme dieser Art selbstverständlich ist, als Teil eines Gesamtsystems betrachtet zu werden, dessen Funktion nur durch das Zusammenwirken aller Teile gewährleistet wird. Da der Einsatz von Multimedia eine Kommunikationsfunktion erfüllt, gilt es zunächst wie bei jedem Kommunikationsprozeß die Botschaft zu codieren und die eingesetzten Medien auszuwählen und zu gestalten [2]. Dennoch weist die Multimedia-Gestaltung Spezifica auf, welche sich in drei Punkten gliedern lassen:

- Die inhaltliche Ausprägung von Multimedia-Systemen zeichnet sich dadurch aus, daß hier in der Regel komplexe Wissens- und Handlungszusammenhänge vermittelt werden. Die Definition und Ausprägung der Botschaft erfordert daher Spezialistenkenntnisse. Sie kann daher nicht von gestalterisch geschulten Experten vollzogen werden, die keine spezifische Fachqualifikation haben.

- Die künstlerische Gestaltung von Multimedia ist komplex. Sie umfaßt die Bearbeitung von Stand- und Bewegtbild, von Ton und Geräusch, mithin so unterschiedliche Disziplinen, daß nicht ein spezifisch ausgebildeter Gestalter, sondern mehrere angewandte Künstler im Rahmen einer Produktion tätig werden müssen.

- Multimedia ist eingebettet in einem differenzierten technischen System. Nicht nur der einzelne Computer-Anwendungsplatz benötigt eine leistungsfähige Zentraleinheit und eine umfangreiche Peripherie um einen multimedialen I/O (Input/Output) zu ermöglichen, sondern auch Nutzerpopulation erfordert eine zusätzliche Komplexitätskomponente. Die einzelnen Arbeitsplätze bilden ein Netzwerk in einem LAN (Lokal Area Network) oder in einem WAN (Wide Area Network). Die Gestaltung des Multimedia-Einsatzes ist somit technisch sehr anspruchsvoll.

Diese drei Punkte führen bei der Generierung, der Implementierung und der Nutzung von Multimedia zu Arbeitsbedingungen, die nicht ausschließlich auf Einzelleistungen aufbauen können, sondern nur im Team Ergebnisse erbringen, welche den Ansprüchen des Multimediaeinsatzes gerecht werden. Die inhaltliche, gestalterische und technische Komplexität erfordert eine interdisziplinäre Zusammenarbeit, bei dem die wirtschaftswissenschaftliche Komponente einen integrativen und strukturierenden Beitrag leisten kann, jedoch nicht in der Lage ist, eine professionelle, insbesondere gestalterische und technische Umsetzung zu ermöglichen.

Entsprechend enthält die Genesis eines Multimedia-Programmes neben den Aspekten des Arbeitsablaufes einer Werbeagentur auch die Phasenstruktur einer Anwendungsentwicklung im Softwarebereich. Wie Kargl [4] (Bild 4) es formuliert, gilt es, eine Situationsanalyse, eine Fachkonzeption, eine Systemkonzeption, eine Systementwicklung und eine Systeminstallation zu vollziehen, in der die Schnittstellen zum Umsystem durch ein adäquates Informationsmodell abgebil-

**Bild 1
Phasenkonzept mit
Meilensteinen für die
Anwendungsentwick-
lung (nach Kargl)**

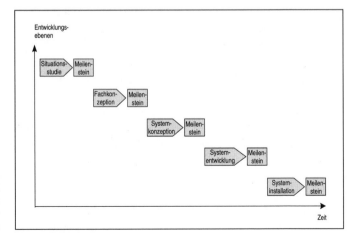

DATACOM • EDI

det werden, die Vorgangsketten durch ihre dynamische und statische Struktur zu charakterisieren sind und die Vorgangsbeschreibungen mit ihren Input/Output sowie Bearbeitungsrelationen und ihren Benutzerschnittstellen präzisiert werden müssen. Jede Phase endet mit einem dokumentierten Ergebnis, das als Meilenstein betrachtet werden kann.

Dabei darf jedoch nicht davon ausgegangen werden, daß die Herstellung von Multimedia als eigenständige Programmierleistung erbracht werden kann. Dazu ist der mediale Umgang mit Bild und Ton zu komplex. Es ist eine Einbindung von Eigenentwicklung und Fremdbezug zu erbringen [7] bei dem in der Bild- und Tonverarbeitung auf Standardprogramme zurückgegriffen wird (Bild 2).

Bild 2
Phasen der System-entwicklung und Einführung

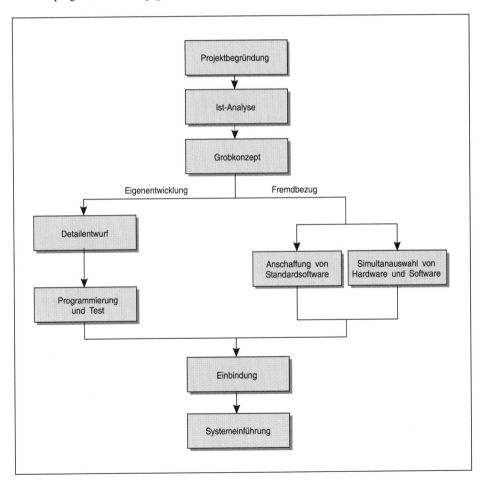

Die Einsatzdauer von Werbemaßnahmen ist beschränkt. Es ist im Gegensatz dazu ein Kennzeichen von Multimedia-Applikationen, daß sie ein Subsystem im Rahmen eines komplexeren Gesamtsystems ausbilden und in sofern an einer vorhandenen Struktur angepaßt werden müssen, deren Bestand in der Regel mittelfristig erhalten bleiben muß. Daher sind multimediale Systeme unter zwei Gesichtspunkten zu entwickeln:

– Zum einen gilt es, die Softwareanwendungen des Gesamtsystems so zu berücksichtigen, daß auf verwendete Standards zurückgegriffen werden kann, und

– zum anderen müssen die spezifischen Hardwarebedingungen der verwendeten Computerkonfigurationen sowohl in ihrer Einzelplatz- als auch in ihrer Netzstruktur mit einbezogen werden.

Messina [6] unterscheidet in seiner Multimedia-Typologie entsprechend der Frauenhofer-Arbeitsgruppen für grafische Datenverarbeitung (Hornung et al. 1989) zwischen drei Anwendungsklassen, die sich aus dem Grad der Verteilung des Gesamtsystems ergeben:

– Die Tele-Anwendung (Tele Applications) stellt den Telekommunikationsaspekt in den Vordergrund, das Multimedia-System wird durch das Endgerät repräsentiert.

– In der verteilten Anwendung (Distributed Applications) werden Dienste über ein Netzwerk zugänglich gemacht, und

– bei der kooperativen Anwendung (Cooperative Applications) sind die Ressourcen des Gesamtsystems von mehreren Nutzern verfügbar.

Je nach der Beschaffenheit einer Multimedialen Applikation ändert sich auch der Bedarf an der kontinuierlichen Anpassungsmodifikation, also der Wartungsaufwand.

Bei der Tele-Anwendung findet keine oder nur eine geringfügige Datenverarbeitung oder -speicherung statt.

Die Hardware solcher Tele-Anwendungen besteht aus einem bestimmten Netzwerk, einem Endgerät und fest definierten Kommunikations-

diensten. In den Endgeräten sind
die Funktionen, Codierung und
Netzdienst realisiert, während
das Netzwerk den Transport-
dienst leistet. Die Teledienste
der Post oder auch eine Video-

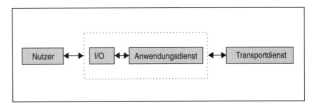

Bild 3
Tele-Anwendung
(nach Messina)

Konferenzschaltung sind Beispiele für diese Anwendungsklasse. Allgemein fallen alle Anwendungen wie Tele-Sehen, Tele-Hören und Tele-Sprechen in diese Klasse. Typisch für diese Anwendungsklasse ist, daß sie Leistungen nur im Kommunikationsbereich, nicht jedoch im Verarbeitungsbereich (DV-Bereich) fordert (ebenda, Bild 3).

Bei der verteilten Anwendung werden Dienste angeboten, die über ein Netzwerk zugänglich sind. Dementsprechend leistet ein Anwendungsprogramm für mehrere Klienten oder Kunden Dienste, und ein Kunde wiederum kann den Dienst von mehreren Anwendungsprogrammen beziehen und nach eigenen Bedürfnissen kombinieren. Diese Anwendungsklasse läßt sich gut mit dem Client-Server-Modell beschreiben, also eine Struktur, die bei Datenbanken verwendet wird. Weil der Kunde in der Regel »naiv« ist, da er als »Gastnutzer« die Programme verwendet und dementsprechend ihre Komplexität nicht übersieht, bedarf es einer Nutzerführung, die über eine multimediale Applikation an den jeweiligen Nutzer-Gesamtsystemschnittstellen hervorragend umgesetzt werden kann (Bild 4).

Bild 4
Verteilte Anwendungen (nach Messina)

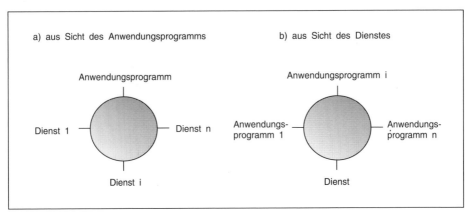

Die kooperative Anwendung geht gegenüber der verteilten Anwendung noch einen Schritt weiter: Hier sind Ressourcen von mehreren »Clients« während einer Session gemeinsam nutzbar. Dies macht die

Integration eines Transaktionskonzepts in den Server notwendig (Transaktionseditor) (ebenda, S.41) (Bild 5). Hier findet sowohl eine Datenverarbeitung als auch eine Telekommunikation statt. Die Informationsgenerierung erfolgt global durch die verschiedenen Nutzer des Gesamtsystems.

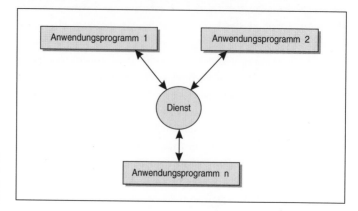

**Bild 5
Kooperative Anwendungen (nach Messina)**

Diese Art multimedialer Anwendung ergibt sich in der Business-to-Business-Kommunikation, wo jeder Partner über ein eigenständiges Programmumfeld verfügt und gemeinschaftlich im Rahmen eines »Workgroup Computing« eine neue Informationsleistung erbracht wird. Es ist selbstverständlich, daß der Wartungsaufwand sich mit zunehmender Systemkomplexität erhöht. Der multimediale Anpassungsbedarf ist bei der verteilten Anwendung in den Endnutzer-Eingabe- und Informationssystemen vom agierenden Unternehmen zentral gestaltbar. Hingegen benötigen die Business-to-Business-Systeme eine stetige sich gegenseitig beeinflussende Modifikation.

Die Business-to-Business-Kommunikation bleibt vorläufig der wichtigste Anwendungsbereich der Multimedia. Hierbei setzt das Direktmarketing neue Impulse bei der Sammlung und Verwertung von Informationen. Die Erfassung von Kundenkontakten wird computergestützt betrieben, und hierbei kann eine Multimediale Unterstützung dem Ablauf dienen [3] [6].

In diesem Sinne wird das Direktmarketing zu einem innerbetrieblichen Baustein zwischen Produktion und Logistik, in dem bildliche und alphanumerische Informationen zusammenzuführen sind [5] (Bild 6). Es ensteht somit gleichsam eine Drehscheibe der überbetrieblichen

Kommunikation, welche die Produktentwicklung und die intendierte Produktveräußerung in ihrer Interdependenz koordiniert.

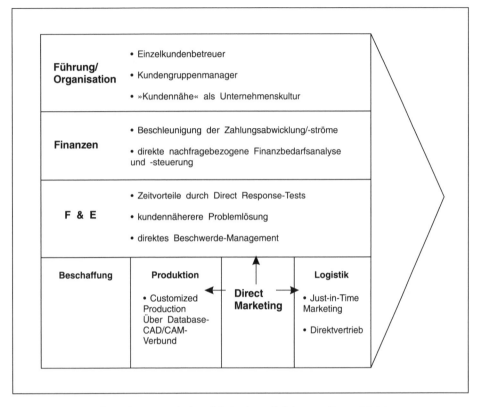

Führung/ Organisation	• Einzelkundenbetreuer • Kundengruppenmanager • »Kundennähe« als Unternehmenskultur
Finanzen	• Beschleunigung der Zahlungsabwicklung/-ströme • direkte nachfragebezogene Finanzbedarfsanalyse und -steuerung
F & E	• Zeitvorteile durch Direct Response-Tests • kundennäherere Problemlösung • direktes Beschwerde-Management

Beschaffung	**Produktion**	**Direct Marketing**	**Logistik**
	• Customized Production Über Database- CAD/CAM- Verbund		• Just-in-Time Marketing • Direktvertrieb

Das Kompetenzgefüge des strategischen Marketing wird dezentralisiert und flach gestaltet. Alle Entscheidungsträger arbeiten in der Regel mit den verschiedensten computergestützten Verfahren, deren Ergebnisse als Bilder, Texte, Meß-Daten, Sonderformen, Photos, Bewegtbilder, Images und Grafiken dokumentiert werden. Zur schnellen Abstimmung dieser Aktivitäten reichen die konventionellen Kommunikationsstrukturen nicht aus, und die inner- sowie überbetrieblichen Rechnernetze ermöglichen nun multimediale Wege des Dokumentationsaustausches. Ein Multimedia-Dokument ist eine verteilte oder zentral vorliegende Einheit, welche Informationen unterschiedlicher Typen enthalten kann, die der optischen und akustischen Wahrnehmung bzw. der maschinellen Weiterverarbeitung dienen. Die Präsentation dieser Information kann, muß jedoch nicht, auf unterschiedlichen Ausgabemedien erfolgen [1] (Bild 7).

Bild 6
Wechselwirkungen zwischen Direktmarketing und anderen Unternehmensfunktionen (nach Meffert)

Alle computergestützten Verfahren leisten nur Stückwerk. Sie bilden Elemente in einem Verfahrenssystem, welches sich gegenseitig stützt. Der operative und strategische Einsatz des Computers verbessert nicht automatisch die Abläufe und Entscheidungen, sondern er beschleunigt zunächst lediglich den Datenaustausch. Nur unter der Voraussetzung, daß dieses System die menschliche Kommunikation und somit das Abstimmungsverhalten der beteiligten Aktionsträger fördert, kann eine betriebliche und gesellschaftliche Produktivitätssteigerung erwartet werden.

**Bild 7
Multimedia-Dokument in der Bürokommunikation
(nach BERKOM)**

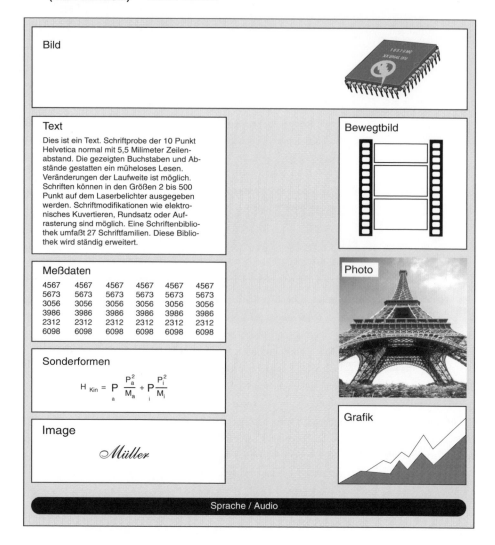

DATACOM • EDI

Literatur

[1] BERKOM: Broschüre, Technisches Zentrum Berlin 1992

[2] Dohmen, J.: Kommunikationsforschung und Außenwerbung, in 2V+ZV, 70. Jg. S. 1014, 1973

[3] Jaspersen, T.: Computergestütztes Marketing, München 1994

[4] Kargl, H.: Controlling im DV-Bereich, München 1993

[5] Meffert, H. (Hrsg.): Marktorientierte Unternehmensführung und Direct Marketing, in Dallmer, H. (Hrsg.) Handbuch des Direct Marketing, 6.Auflage, Wiesbaden 1991

[6] Messina, C.: Was ist Multimedia; München, Wien 1993

[7] Stahlknecht, P.: Einführung in die Wirtschaftsinformatik, 5.Auflage; Berlin, Heidelberg 1991

[8] Töpfer, A.: Direktmarketing mit neuen Medien, in Hermanns, A.; Flegel, V. (Hrsg.): Handbuch Electronic Marketing, München 1992; Überbetriebliche Kommunikation durch Multimedia

Stichwortverzeichnis

A

B

C

DATACOM • EDI

D

E/F

G/H

I/J

K

L

M

N

O

P

Datenkommunikation im Brennpunkt

Die DATACOM-Zeitschriftenpalette

Ganz gleich, ob es um innovative Datenkommunikationslösungen in großer Dimension geht, um praxisorientierte Vernetzungskonzepte für PCs oder um Strategien für das gehobene Informationsmanagement: Die Fachzeitschriften aus dem DATACOM-VERLAG liefern umfassende, objektive und wertvolle Informationen.

Lernen Sie unsere Fachzeitschriften kostenlos kennen.

Wir schicken Ihnen gerne kostenlos ein Exemplar Ihrer Wahl.
Bitte kreuzen Sie das gewünschte Heft an.

Schlank und fit

NEU

Produktion und Management etwa sollen angesichts der Rezession und des verschärften internationalen Wettbewerbs schlank werden, »lean«, so auch die den Betrieben und Institutionen eigene DV- und IV-Welt.

Welche Rolle spielen in diesem Zusammenhang die Möglichkeiten des Outsourcing, das Abwägen zwischen zentralistischen und dezentralen DV-Konzepten, die »pros und cons« von Unternehmensdatenmodellen, die Entwicklung von Management-Informationssystemen oder die Notwendigkeit des IV-Controlling?

Solche Fragen beantwortet dieser von Wilfried Heinrich herausgegebene Sammelband. Autoren mit den unterschiedlichsten Anwendungserfahrungen kommen zu Wort, setzen sich mit konkreten Fallbeispielen, den Möglichkeiten sowie den Vor- und Nachteilen solcher Lean-Strategien auseinander.

Aus dem Inhalt:

Lean-Strategien als Chance
Outsourcing als Kostensenker
Rightsizing als Downcosting

Bessere Steuerung durch Management-Informationssysteme
– Ziel, Aufgabendefinition, Fallbeispiel

Kostensenkung und Technologiewechsel durch Outsourcing
– Just-in-Time-Approach
– Partielles Outsourcing
– Installation von Abteilungsrechnern und PC-Anwendungen
– Entscheidungskriterien bei der Auswahl des Partners

Der Weg zum unternehmensweiten Informationssystem
– Koordinierungsproblematik
– Time-to-Market
– CASE

Unternehmensdatenmodelle: Ziele, Nutzen, Umsetzung

Wirtschaftlichkeitsaspekte beim Outsourcing

Controlling als Therapie gegen vollschlanke Computer

Wilfried Heinrich (Hrsg.)
Lean-Strategien in der Informatik
Umfang: 270 Seiten, 100 Abb.
Format: DIN A 5
ISBN 3-89238-093-7
Preis: DM 58,– zzgl. Versand